TEATRO DO OPRIMIDO
e outras poéticas políticas

Augusto Boal

TEATRO DO OPRIMIDO

e outras poéticas políticas

Posfácio de Julián Boal

editora 34

EDITORA 34

Editora 34 Ltda.
Rua Hungria, 592 Jardim Europa CEP 01455-000
São Paulo - SP Brasil Tel/Fax (11) 3811-6777 www.editora34.com.br

Copyright © Editora 34 Ltda., 2019
© Estate of Augusto Boal, 1975
by arrangement with Literarische Agentur Mertin Inh. Nicole Witt e.K.,
Frankfurt am Main, Germany.

A FOTOCÓPIA DE QUALQUER FOLHA DESTE LIVRO É ILEGAL E CONFIGURA UMA
APROPRIAÇÃO INDEVIDA DOS DIREITOS INTELECTUAIS E PATRIMONIAIS DO AUTOR.

Edição conforme o Acordo Ortográfico da Língua Portuguesa.

Imagem de capa:
*Augusto Boal ministra oficina de Teatro do Oprimido, Londres, 1979,
fotografia de Peter Kunold, acervo do Instituto Augusto Boal*

Capa, projeto gráfico e editoração eletrônica:
Bracher & Malta Produção Gráfica

Revisão:
Milton Ohata

1ª Edição - 2019 (1ª Reimpressão - 2021)

CIP - Brasil. Catalogação-na-Fonte
(Sindicato Nacional dos Editores de Livros, RJ, Brasil)

Boal, Augusto, 1931-2009

B724t   Teatro do Oprimido e outras poéticas
políticas / posfácio de Julián Boal —
São Paulo: Editora 34, 2019 (1ª Edição).
232 p.

ISBN 978-85-7326-730-3

1. Representação teatral. 2. Teatro —
Aspectos políticos. 3. Teatro e sociedade.
I. Boal, Julián. II. Título.

CDD - 792.028

TEATRO DO OPRIMIDO
e outras poéticas políticas

Explicação	11
A Árvore do Teatro do Oprimido	13
Oprimidos e opressores	19
O Sistema Trágico Coercitivo de Aristóteles	27
I. Introdução	27
II. A arte imita a natureza	29
III. Pequeno dicionário de palavras simples	55
IV. Distintos tipos de conflito: *harmatia* × *éthos* social	61
V. Conclusão	67
VI. Notas	69
Maquiavel e a Poética da *Virtù*	73
I. A abstração medieval	73
II. A concreção burguesa	79
III. Maquiavel e *A mandrágora*	86
IV. Modernas reduções da *virtù*	92
Hegel e Brecht: personagem-sujeito ou personagem-objeto? Conceito do "épico"	101
Poética do Oprimido	127
A) Uma experiência de teatro popular no Peru	128
I. Primeira etapa: Conhecimento do corpo	135
II. Segunda etapa: Tornar o corpo expressivo	140
III. Terceira etapa: Teatro como linguagem	142
IV. Quarta etapa: Teatro como discurso	155
V. Conclusão: "Espectador", que palavra feia!	169
B) O Sistema Coringa	173
I. Etapas do Teatro de Arena de São Paulo	173

II. A necessidade do Coringa 184

III. As metas do Coringa.. 189

IV. As estruturas do Coringa 197

V. *Tiradentes*: questões preliminares 204

VI. Quixotes e heróis.. 212

Posfácio, *Julián Boal* 217

Sobre o autor 228

Créditos das imagens.. 231

Para meus filhos
Fabián Boal
Julián Boal
e para meu neto
Luca Boal

O autor manifesta o seu profundo
agradecimento a Ênio Silveira que,
através da edição deste livro,
concretizou o seu retorno ao país,
depois de tantos anos de exílio.[1]

---

[1] A primeira edição brasileira de *Teatro do Oprimido* saiu em 1975 no Rio de Janeiro pela editora Civilização Brasileira, dirigida por Ênio Silveira. O livro fora publicado em espanhol no ano anterior pela editora argentina Ediciones de La Flor, quando o autor se encontrava exilado em Buenos Aires. (N. da E.)

Explicação

Este livro procura mostrar que todo teatro é necessariamente político, porque políticas são todas as atividades do homem, e o teatro é uma delas.[1]

Os que pretendem separar o teatro da política pretendem conduzir-nos ao erro — e essa é uma atitude política. Neste livro, pretendo igualmente oferecer algumas provas de que o teatro é uma arma. Uma arma muito eficiente. Por isso, é necessário lutar por ele. Por isso, as classes dominantes permanentemente tentam apropriar-se do teatro e utilizá-lo como instrumento de dominação. Ao fazê-lo, modificam o próprio conceito do que seja o "teatro". Mas o teatro pode igualmente ser uma arma de liberação. Para isso, é necessário criar as formas teatrais correspondentes. É necessário transformar.

Este livro mostra algumas destas transformações fundamentais. "Teatro" era o povo cantando livremente ao ar livre: o povo era o criador e o destinatário do espetáculo teatral, que se podia então chamar "canto ditirâmbico". Era uma festa em que podiam todos livremente participar. Veio a aristocracia e estabeleceu divisões: algumas pessoas iriam ao palco e só elas poderiam representar enquanto todas as outras permaneceriam sentadas, receptivas, passivas: estes seriam os espectadores, a massa, o povo. E para que o espetáculo pudesse refletir eficientemente a ideologia dominante, a aristocracia estabeleceu uma nova

---

[1] Este livro reúne ensaios que foram escritos com diferentes propósitos, desde 1962, em São Paulo, até fins de 1973, em Buenos Aires, relatando experiências realizadas no Brasil, na Argentina, no Peru, na Venezuela e em vários outros países latino-americanos. Alguns foram originalmente escritos em português, outros em espanhol. Creio que isso explica a diferença de estilos, bem como possíveis reiterações de certas ideias e temas.

divisão: alguns atores seriam os protagonistas (aristocratas) e os demais seriam o coro, de uma forma ou de outra simbolizando a massa. "O Sistema Trágico Coercitivo de Aristóteles" nos ensina o funcionamento desse tipo de teatro.

Veio depois a burguesia e transformou esses protagonistas: deixaram de ser objetos de valores morais, superestruturais, e passaram a ser sujeitos multidimensionais, indivíduos excepcionais, igualmente afastados do povo, como novos aristocratas — esta é a "Poética da *Virtù*" de Maquiavel.

Bertolt Brecht responde a estas poéticas e converte o personagem teorizado por Hegel de sujeito-absoluto outra vez em objeto, mas agora se trata de objeto de forças sociais, não mais dos valores das superestruturas. O "ser social determina o pensamento" e não vice-versa.

Para completar o ciclo, faltava o que está atualmente ocorrendo em tantos países da América Latina: a destruição das barreiras criadas pelas classes dominantes. Primeiro se destrói a barreira entre atores e espectadores: todos devem representar, todos devem protagonizar as necessárias transformações da sociedade. É o que conta "Uma experiência de teatro popular no Peru". Depois, destrói-se a barreira entre os protagonistas e o coro: todos devem ser, ao mesmo tempo, coro e protagonistas — é o Sistema Coringa. Assim tem que ser a Poética do Oprimido: a conquista dos meios de produção teatral.

Buenos Aires, junho de 1974

A Árvore do Teatro do Oprimido

Desde o ano de 1970, quando sistematizei as técnicas do Teatro Jornal; desde 1974, quando este livro foi publicado pela primeira vez, o método do Teatro do Oprimido não tem parado de crescer, no Brasil e nos cinco continentes, sempre acrescentando novas técnicas que respondem às novas necessidades, e não abandonando nenhuma.

A enorme diversidade de técnicas e de suas aplicações possíveis — na luta social e política, na psicoterapia, na pedagogia, na cidade como no campo, no trato com problemas pontuais em uma região da cidade ou nos grandes problemas econômicos do país inteiro — não se afastaram, nunca, um milímetro sequer, de sua proposta inicial, que é o apoio decidido do teatro às lutas dos oprimidos.

Essa diversidade não é feita de técnicas isoladas, independentes, mas guardam estreita relação entre si, e têm a mesma origem no solo fértil da ética e da política, da história e da filosofia, onde a nossa Árvore vai buscar a sua nutriente seiva.

Entendendo-se além das fronteiras habituais do teatro, nosso novo projeto, *A estética do oprimido*,[1] busca devolver, aos que a praticam, a sua capacidade de perceber o mundo através de todas as artes e não apenas do teatro, centralizado esse processo na *palavra* (todos devem escrever poemas e narrativas); no *som* (invenção de novos instrumentos e de novos sons); na *imagem* (pintura, escultura e fotografia). Cada folha dessa Árvore dela faz parte indissolúvel até alcançar as raízes e a terra.

---

[1] Finalizado em janeiro de 2009, poucos meses antes do falecimento do autor, o livro foi publicado no mesmo ano pela editora Garamond, do Rio de Janeiro, com apoio da Funarte. (N. da E.)

Árvore do Teatro do Oprimido

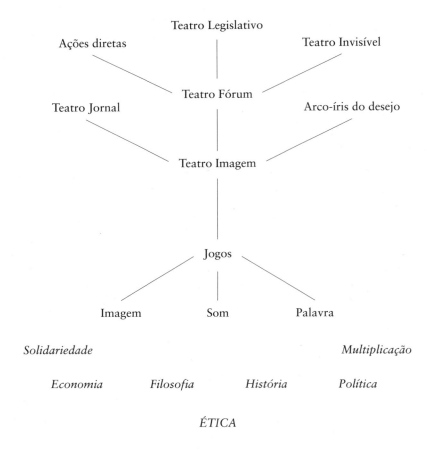

Os frutos que caem ao solo servem a se reproduzir pela *multiplicação*. A sinergia criada pelo Teatro do Oprimido aumenta o seu poder transformador na medida em que se expande e que entrelaça diferentes grupos de oprimidos: é preciso conhecer não apenas as suas próprias, mas também as opressões alheias. A *solidariedade* entre semelhantes é parte medular do Teatro do Oprimido.

No tronco da Árvore surgem, primeiro, os *jogos*, porque reúnem duas características essenciais da vida em sociedade: possuem regras, como a sociedade possui leis, que são necessárias para que se realizem, mas necessitam de liberdade criativa para que o *jogo*, ou a vida, não se transforme em servil obediência. Sem regras não há *jogo*, sem liberdade não há vida.

Além dessa essencial característica metafórica, os *jogos* ajudam a desmecanização do corpo e da mente alienados às tarefas repetitivas do dia a dia, especialmente às do trabalho e às condições econômicas, ambientais e sociais de quem os pratica.

O corpo, no trabalho como no lazer, além de produzi-los, responde aos estímulos que recebe, criando, em si mesmo, tanto uma *máscara muscular* como outra de *comportamento social* que atuam, ambas, diretamente sobre o pensamento e as emoções, que se tornam, assim, estratificadas. Os *jogos* facilitam e obrigam a essa desmecanização, sendo, como são, diálogos sensoriais onde, dentro da disciplina necessária, exigem a criatividade que é a sua essência.

A palavra é a maior invenção do ser humano, porém traz consigo a obliteração dos sentidos, a atrofia de outras formas de percepção.

Arte é busca de verdades através dos nossos aparelhos sensoriais. No *Teatro Imagem*, dispensamos o uso da palavra — a qual, no entanto, reverenciamos! — para que possamos desenvolver outras formas perceptivas. Usamos o corpo, fisionomias, objetos, distâncias e cores, que nos obrigam a ampliar nossa visão *sinalética* — onde significantes e significados são indissociáveis, como o sorriso da alegria no rosto, ou as lágrimas da tristeza e do pranto —, e não apenas a linguagem *simbólica* das palavras dissociadas das realidades concretas e sensíveis, e que a elas apenas se referem pelo som e pelo traço.

O *Teatro Jornal* — doze técnicas de transformação de textos jornalísticos em cenas teatrais — consiste na combinação de imagens e palavras revelando, naquelas, significados que, nestas, se ocultam. Mostra que um jornal, por exemplo, usa técnicas de ficção, tal como a literatura, porém suas: a diagramação, o tamanho das manchetes, a colocação de cada notícia dentro das páginas etc.

O Teatro Jornal serve para desmistificar a pretensa imparcialidade dos meios de comunicação. Se jornais, revistas, rádios e TVs vivem economicamente dos seus anunciantes, não permitirão jamais que informações ou notícias verdadeiras revelem a origem e a veracidade daquilo que publicam, ou a quais interesses servem — a mídia será sempre usada para agradar aqueles que a sustentam: será sempre a voz do seu dono!

O mesmo acontece com as técnicas introspectivas do *Arco-íris do desejo*[2] que, usando palavras e, sobretudo, imagens, permitem a teatralização de opressões introjetadas. Nessas técnicas — que se voltam para dentro de cada um de nós, mas sempre buscando ressonâncias no grupo —, que são parte da Árvore do Teatro do Oprimido, o objetivo é mostrar que essas opressões internalizadas tiveram sua origem e guardam íntima relação com a vida social. Uma de suas técnicas principais, *O Policial na Cabeça*, mostra que, se ele existe, de algum quartel veio, exterior à subjetividade do sujeito.

O *Teatro Fórum* — talvez a forma de Teatro do Oprimido mais democrática e, certamente, a mais conhecida e praticada em todo o mundo, usa ou pode usar todos os recursos de todas as formas teatrais conhecidas, a estas acrescentando uma característica essencial: os espectadores — aos quais chamamos de *spect-atores* — são convidados a entrar em cena e, atuando teatralmente, e não apenas usando a palavra, revelar seus pensamentos, desejos e estratégias que podem sugerir, ao grupo ao qual pertencem, um leque de alternativas possíveis por eles próprios inventadas: o teatro deve ser um ensaio para a ação na vida real, e não um fim em si mesmo.

O espetáculo é o início de uma transformação social necessária e não um momento de equilíbrio e repouso. *O fim é o começo!*

O Teatro do Oprimido, em todas as suas formas, busca sempre a transformação da sociedade no sentido da libertação dos oprimidos. É ação em si mesmo, e é a preparação para ações futuras. "Não basta interpretar a realidade: é necessário transformá-la!" — disse Marx, com admirável simplicidade.

Essas transformações podem ser buscadas também em ações ensaiadas, realizadas teatralmente, como teatro que é, mas de forma não revelada, ao público ocasional de transeuntes, não conscientes de sua condição de espectadores. Provoca-se a interpenetração da ficção na

---

[2] Ver *O arco-íris do desejo: método Boal de teatro e terapia*, Rio de Janeiro, Civilização Brasileira, 1996. (N. da E.)

realidade e a da realidade na ficção: todos os presentes podem intervir a qualquer momento na busca de soluções para os problemas tratados. O espetáculo *invisível* pode ser apresentado em qualquer lugar onde sua trama poderia realmente ocorrer ou teria já ocorrido (na rua ou na praça, no supermercado ou na feira, na fila do ônibus ou do cinema...). Atores e espectadores encontram-se no mesmo nível de diálogo e de poder, não existe antagonismo entre a sala e a cena, existe superposição.

Esse é o *Teatro Invisível*.

As *ações diretas* consistem em teatralizar manifestações de protesto, marchas de camponeses, procissões laicas, desfiles, concentrações operárias ou de outros grupos organizados, comícios de rua etc., usando-se todos os elementos teatrais convenientes, como máscaras, canções, danças, coreografia etc.

Finalmente, mesmo sabendo que no Brasil, pelo menos — mas creio que em toda parte —, as leis não passam de simples sugestões, leis não "pegam", como se diz, é melhor tê-las do nosso lado do que contra nós. O *Teatro Legislativo* é um conjunto de procedimentos que misturam o Teatro Fórum e os rituais convencionais de uma Câmara ou Assembleia, com o objetivo de se chegar à formulação de projetos de lei coerentes e viáveis. A partir daí, temos que seguir o caminho normal da sua apresentação às casas da lei e pressionar os legisladores para que os aprovem.

O Centro do Teatro do Oprimido do Rio de Janeiro já conseguiu, com esse método, a aprovação de quinze leis municipais e duas estatais.

O objetivo de toda árvore é dar frutos, sementes e flores: é o que desejamos para o Teatro do Oprimido, que busca não apenas conhecer a realidade, mas transformá-la ao nosso feitio.

Nós, os oprimidos.[3]

---

[3] Texto acrescentado na 7ª edição deste livro, em 2005. (N. da E.)

Oprimidos e opressores

Oprimidos e opressores não podem ser candidamente confundidos com anjos e demônios. Quase não existem em estado puro, nem uns nem outros. Desde o início do meu trabalho com o Teatro do Oprimido, fui levado, em muitas ocasiões, a trabalhar com opressores no meio dos oprimidos, e também com alguns oprimidos que oprimiam.

Em 1977, trabalhando com camponeses na Sicília, ao sul da Itália, preparamos uma peça em que se mostrava o prefeito da cidade de Godrano como o grande opressor dos pobres. Durante o espetáculo de Teatro Fórum, o próprio prefeito apareceu na praça e pediu para substituir, não o protagonista-oprimido como é nosso costume, mas o personagem do prefeito — ele próprio — para melhor justificar suas ações.

O prefeito era perfeitamente consciente do que fazia; seus atos hostis e argumentos direitistas, em cena, apenas reforçaram as convicções que os camponeses, na vida real, tinham sobre ele. Como sabia o que fazia e como fazia, esse opressor não poderia ser transformado, nem podia transformar a si mesmo, naquilo que não era nem queria ser: tinha consciência do mal que causava e dos benefícios que, disso, tirava. Trabalhar com esse homem seria tempo perdido, inútil temeridade. Lutar contra ele, sim, valia a pena... e ele foi derrotado nas eleições seguintes.

Existe também o opressor que sabe o que faz, mas se defende dizendo que não tem "outra saída", apesar de não concordar com o que diz ser obrigado a fazer. Exemplo disso é aquele policial que me quebrou o joelho em rotineira sessão de tortura, em 1971, e me pedia perdão toda vez que ligava a eletricidade: "Você me desculpe, eu não tenho nada contra você, respeito muito, um verdadeiro artista, mas esta é a minha função, tenho mulher e filhos, preciso do meu salário, tenho que trabalhar e... você caiu no meu horário...".

Com gente cínica como essa nada se pode fazer, como nada se poderia fazer com aqueles policiais subalternos nos países europeus ocupados durante a Segunda Guerra Mundial que caçavam e entregavam suas vítimas à Gestapo para que fossem mortas nos campos de concentração nazistas. Argumentavam que tinham família e precisavam dos seus salários... E, afinal, as vítimas eram *apenas* judeus, comunistas, ciganos e homossexuais... pouca monta.

Gente como essa — ridículos êmulos de Pinochet e outros bandidos — não pode ser absolvida com o argumento de que é produto de uma sociedade, pois foram criados em sociedades que também produziram pessoas éticas. Nenhuma sociedade fabrica, "em série", os seus cidadãos — somos todos responsáveis por nossos atos.

Já algumas vezes ouvi o argumento vergonhoso de que até "Hitler não nasceu monstro, foi a sociedade que o tornou assim". Penso, ao contrário, que não podemos fingir ignorar que temos livre-arbítrio e somos responsáveis pelas escolhas que fazemos, cada um de nós, é claro, dentro de uma situação social e política concreta, que é poderosa e determinante, mas não exclusiva. A história dos povos e a biografia dos indivíduos não são obra da fatalidade. Construímos nossas vidas que não estão escritas nas linhas de nossas mãos, lidas por uma cigana.

Não podemos conceder perdão e oferecer nossa amizade a quem escolheu o proveito próprio às custas da infelicidade dos outros, e decidiu gozar a própria vida ao custo da morte alheia. Aqueles que querem a todos perdoar, "ver os dois lados da questão" ou "ver a questão de todos os lados", aqueles que tentam justificar as razões dos opressores, são os imobilistas do mundo.

Se fosse verdade que todos têm razão, e que todas as razões se equivalem, seria melhor que o mundo ficasse do jeito que está. Nós, no Teatro do Oprimido, ao contrário, queremos transformá-lo, queremos que mude sempre em direção a uma sociedade sem opressão. É isto que significa *humanizar a humanidade*: queremos que o "homem deixe de ser o lobo do homem", como dizia um poeta.

Sabemos que todas as sociedades se movem através de estruturas conflitantes: como poderíamos nós, então, assumir uma virginal posição *isenta* diante de conflitos dos quais, queiramos ou não, fazemos parte? Seremos sempre aliados dos oprimidos... ou cúmplices dos opressores.

Fazer Teatro do Oprimido já é o resultado de uma escolha ética, já significa tomar o partido dos oprimidos. Tentar transformá-lo em mero entretenimento sem consequências seria desconhecê-lo; transformá-lo em arma de opressão seria traí-lo.

É verdade que o Coringa, em uma sessão de Teatro Fórum, por exemplo, deve manter sua neutralidade e não tentar impor suas próprias ideias, porém... *só depois de ter escolhido o seu campo*! Sua neutralidade é ato responsável e surge depois da escolha feita; sua substância é a dúvida, semente de todas as certezas; seu fim é a descoberta, não a isenção.

Dou dois exemplos bem simples, e estou certo de que todos entenderão:

1. Em um confronto entre Davi e Golias, a neutralidade significa tomar o partido do opressor, o gigante Golias; se quisermos tomar o partido do oprimido Davi, temos que ajudá-lo a encontrar as pedras;

2. Para aqueles que são religiosos, quero notar que nem mesmo Deus, no Juízo Final, mantém-se neutro: baseia seu julgamento em uma tábua de valores.

Seguindo o exemplo divino, até nós, simples mortais com os dias contados, devemos ter a nossa tábua de valores éticos — temos que estar claramente ao lado dos oprimidos e não de *todos os lados*, assim no teatro como na vida cidadã.

A partir de uma clara tomada de posição, e só então, seremos neutros em relação a todos os oprimidos participantes de uma sessão de Teatro do Oprimido: devemos a todos ouvir e tentar compreender o significado de suas intervenções. A partir daí, podemos tentar ver a coisa de todos os lados.

Trabalhar com os oprimidos é uma clara opção filosófica, política e social.

Essa opção pode se constituir em uma *ideologia*, que é uma dessas palavras-guarda-chuvas que podem abrigar diversos conceitos. Segundo os dicionários, pode significar:

1. Conjunto de ideias presentes nos âmbitos teórico, cultural e institucional das sociedades, que se caracteriza por ignorar sua origem nas necessidades e interesses das relações econômicas de produção e, portanto, termina por beneficiar as classes sociais dominantes: as ideias dominantes em uma sociedade são as ideias das classes dominantes, mesmo quando transmitidas de forma inconsciente;

2. Conjunto de ideias e convicções que, conscientemente, dirigem ações de um indivíduo ou de um grupo social;

3. Conjunto de normas e objetivos predeterminados independentemente de cada situação concreta, geralmente atribuídos aos dogmas de um partido político, seita ou religião.

Vemos, assim, que o Teatro do Oprimido nada tem a ver com esta última definição da palavra *ideologia*, que é a vulgarmente usada, pois que nós nos afastamos conscientemente de todos os dogmas políticos ou religiosos. Mas não nos podem faltar, jamais, a convicção e a determinação da segunda definição a fim de, com eficácia, lutarmos contra a primeira.

Nos exemplos citados falei de opressores antagônicos, contra os quais outra coisa não se pode fazer senão lutar: é necessário destruir o seu arsenal e a sua força, para que os oprimidos se libertem. Nenhum argumento pode justificar a colaboração com tais inimigos.

Este não é um tema de teatro: é um dever da cidadania!

Algumas pessoas, por culposa ingenuidade ou doloso oportunismo, usam alguns elementos esparsos do arsenal do Teatro do Oprimido dissociados da sua filosofia, e se deixam contratar por empresas comerciais ou industriais para trabalharem com seus empregados. A falta grave não está em ser contratado por uma empresa ou por uma agência governamental para fazer o seu próprio projeto com os grupos da sua própria escolha, mas sim em não perceber que essas empresas jamais permitirão em seu espaço empresarial e com os seus funcionários — e, menos ainda, financiarão — a liberdade de expressão que o Teatro do Oprimido exige e sem a qual fenece. Se pagam pelo trabalho teatral, é porque desejam melhorar a produtividade de seus operários e funcionários, ou resolver problemas relacionais, a fim de aumentar seus lucros — o que está perfeitamente dentro de sua lógica competitiva. Pagam e compram um serviço como se fosse mercadoria e, quem assim procede, em mercadoria se transforma.

Para se justificarem, alguns afirmam que, tendo o Teatro do Oprimido nascido e se desenvolvido inicialmente em países pobres e pouco industrializados da América Latina, torna-se necessária uma adaptação às "sociedades mais sofisticadas" — argumento que demonstra congênita má-fé ou voluntária miopia.

Todas as sociedades humanas são complexas: o que pode ser simplório é o modo de percebê-las. Algumas pessoas são incapazes de ver, sentir e compreender sutilezas existentes em outras culturas que não a sua, ou nem mesmo na sua própria. E, se não as veem, decretam que não existem.

Mesmo quando a evidência salta aos olhos, há quem não perceba que o mundo está sendo cada vez mais dominado pelos dogmas da economia de mercado — o Deus Mercado substituiu os outros deuses! Sua fome é o lucro. Em todo o mundo, os ricos estão cada vez mais ricos e os pobres cada vez mais pobres. Países africanos, dizimados pela AIDS, são obrigados a pagar eternos juros de suas dívidas, mesmo ao preço de maior mortandade. Vale o lucro, os dividendos: a vida humana nada vale, e as mortes não se contabilizam!

Diante do mercado e do lucro, que no mundo globalizado substituem todos os valores chamados "humanísticos", temos que tomar uma posição filosófica, política e social — ação! Não podemos flutuar acima da Terra na qual vivemos, procurando cosmicamente compreender as razões de todos e procurando a todos justificar, aos que exploram e aos que são explorados, aos senhores e aos escravos.

Nossa tomada de posição teórica e nossas ações concretas devem acontecer não porque sejamos artistas, mas porque somos cidadãos. Fôssemos veterinários, dentistas, pedreiros, filósofos, bailarinos, professores, jogadores de futebol ou lutadores de judô — qualquer que seja a nossa profissão —, temos a obrigação cidadã de nos colocarmos ao lado dos humilhados e ofendidos.

Somos *seres vivos*: precisamos de ar, água e terra. O ar está poluído pela fumaça, a água contaminada pelos detritos industriais, e a terra cercada de arame farpado e muros. E nós... não dizemos nada? Somos *seres sociais*: mundo afora, países bélicos e blindados impõem sua vontade, invadem, escravizam — a razão do Príncipe é seu poder! Mundo adentro, cai a noite. E nós... ficamos calados?

Tenho sincero respeito por aqueles artistas que dedicam suas vidas exclusivamente à sua arte — é seu direito ou condição! —, mas prefiro aqueles que dedicam sua arte à vida.

O Teatro do Oprimido jamais foi um teatro equidistante que se recusa a tomar partido — é teatro de luta! É o teatro *dos* oprimidos, *para* os oprimidos, *sobre* os oprimidos e *pelos* oprimidos, sejam eles operários, camponeses, desempregados, mulheres, negros, jovens ou velhos, portadores de deficiências físicas ou mentais, enfim, todos aqueles a quem se impõe o silêncio e de quem se retira o direito à existência plena.

Existem também os opressores não antagônicos, com os quais o cuidadoso diálogo é possível e as transformações relacionais também.

Em Santiago do Chile, em 1974, convidado pelo consulado francês, trabalhei com operários chilenos; entre eles, aquele que era o mais combativo na luta contra a ditadura propôs uma cena de família na qual ele, inconscientemente, mostrava-se ditador em relação à sua esposa e às suas filhas. Na política, lutava contra a ditadura e, na família, exercia poderes ditatoriais.

Aquele operário era inconsciente das opressões que exercia, pois, para ele, eram a única forma que conhecia e aceitava de "ser um bom pai severo". Confundia suas opções opressoras com a *função* de pai. Era tão inconsciente do significado do que fazia como aquele guarda de presídio que, depois de uma sessão de Teatro Fórum sobre o comportamento violento de guardas carcerários, comentou: "Eu não sabia que era um torturador: pensava que isso que eu fazia fosse 'educar os presos'".

Este guarda e aquele operário algo aprenderam sobre ética e, certamente, mudaram seu comportamento. Eram opressores não conscientes e, em parte, deixaram de sê-lo. Trabalhar com estes vale a pena e pode ser transformador.

No Centro do Teatro do Oprimido do Rio de Janeiro já trabalhamos com homens que batiam em suas mulheres. A vergonha que alguns sentiam, ao ver-se em cena, já era o início do caminho da transformação possível. É pouco? Sim, muito pouco, mas *a direção da caminhada é mais importante do que o tamanho do passo*.

Trabalhamos com professores que batiam em seus alunos, e pais em seus filhos: a visão teatral de suas opressões envergonhava esses opressores e, a muitos, transformava. O espaço estético é um espelho de aumento que revela comportamentos dissimulados, inconscientes ou ocultos.

Não devemos ter medo ou pudor de trabalhar com pessoas que exerçam funções ou profissões que oferecem a oportunidade e o poder de oprimir — temos que acreditar em nós e no teatro.

Mas temos que ter muito cuidado... e saber escolher nosso lado.[1]

---

[1] Texto acrescentado na 7ª edição deste livro, em 2005. (N. da E.)

O Sistema Trágico Coercitivo de Aristóteles

"A tragédia é a criação mais característica da democracia ateniense; em nenhuma outra forma artística os conflitos interiores da estrutura social estão mais clara e diretamente apresentados. Os aspectos exteriores do espetáculo teatral para as massas eram, sem dúvida, democráticos. Mas o conteúdo era aristocrático. Exaltava-se o indivíduo excepcional, diferente de todos os demais mortais: isto é, o aristocrata. O único progresso feito pela democracia ateniense foi o de substituir gradualmente a aristocracia de sangue pela aristocracia do dinheiro. Atenas era uma democracia imperialista e as suas guerras traziam benefícios apenas para a parte dominante da sociedade. A própria separação do protagonista do resto do coro demonstra a impopularidade temática do teatro grego. A tragédia grega é francamente tendenciosa. O Estado e os homens ricos pagavam as produções e naturalmente não permitiam a encenação de peças de conteúdo contrário ao regime vigente."

Arnold Hauser, *História social da literatura e da arte*

I. INTRODUÇÃO

A discussão sobre as relações entre o teatro e a política é tão velha como o teatro... ou como a política. Desde Aristóteles e desde muito antes, já se colocavam os mesmos temas e argumentos que ainda hoje se discutem. De um lado se afirma que a arte é pura contemplação e de outro que, pelo contrário, a arte apresenta sempre uma visão do mundo em transformação e, portanto, é inevitavelmente política, ao apresentar os meios de realizar essa transformação, ou de demorá-la. Deve a arte educar, informar, organizar, influenciar, incitar, atuar, ou deve ser simplesmente objeto de prazer e gozo? O poeta cômico Aristófanes pensava que "o comediógrafo não só oferece prazer como deve também ser um professor de moral e um conselheiro político". Eratóstenes pensava o contrário, afirmando que "a função do poeta é encantar os espíritos dos seus ouvintes, nunca instruí-los". Estrabão argumentava: "A poesia é a primeira lição que o Estado deve ensinar à criança; a poesia é superior à filosofia porque esta se dirige a uma minoria enquanto aquela se dirige às massas". Platão, pelo contrário, pensava que os poetas deviam ser expulsos de uma República perfeita, porque, "a poesia só tem sentido quando exalta as figuras e os fatos que devem servir de exemplo; o teatro imita as coisas do mundo, mas o mundo não é mais que uma simples imitação das ideias — assim, pois, o teatro vem a ser uma imitação de uma imitação".

Como se vê, cada um tem a sua opinião. Mas será isso possível? A relação da arte com o espectador é algo suscetível de ser diversamente interpretado, ou, pelo contrário, obedece rigorosamente a certas leis que fazem da arte um fenômeno puramente contemplativo ou um fenômeno essencialmente político? É suficiente que o poeta declare suas intenções para que sua realização siga o curso por ele previsto?

Vejamos o caso de Aristóteles, para quem poesia e política são disciplinas completamente distintas, que devem ser estudadas à parte porque possuem leis particulares, porque servem a distintos propósitos e têm diferentes objetivos. Para chegar a estas conclusões, Aristóteles utiliza, em sua *Poética*, certos conceitos que são mais bem explicados em suas outras obras. Palavras que conhecemos por suas conotações mais usuais mudam completamente o sentido se são entendidas através da *Ética a Nicômaco* ou da *Grande moral*.

Aristóteles propõe a independência da poesia (lírica, épica e dramática) em relação à política; o que me proponho a fazer neste trabalho é mostrar que, não obstante suas afirmações, Aristóteles constrói o primeiro sistema poderosíssimo poético-político de intimidação do espectador, de eliminação das "más" tendências ou tendências "ilegais" do público espectador. Esse sistema é amplamente utilizado até o dia de hoje, não somente no teatro convencional como também nos dramalhões em série da TV e nos filmes de faroeste: cinema, teatro e TV aristotelicamente unidos para reprimir o povo.

Felizmente, o teatro aristotélico não é a única maneira de se fazer teatro.

II. A ARTE IMITA A NATUREZA

A primeira dificuldade que se nos apresenta para que possamos compreender corretamente o funcionamento da tragédia segundo Aristóteles consiste na própria definição que esse filósofo oferece da arte. Que é a arte, qualquer arte? Para ele, é uma imitação da natureza.

Para nós, a palavra "imitar" significa fazer uma cópia mais ou menos perfeita de um modelo original. Sendo assim, a arte seria então uma cópia da natureza. E "natureza" significa, para nós, o conjunto das coisas criadas. A arte seria, pois, uma cópia das coisas criadas.

Aristóteles, contudo, quis dizer uma coisa completamente diferente. Para ele, imitar (*mimesis*) não tem nada a ver com a cópia de um modelo exterior. A melhor tradução da palavra *mimesis* seria "recriação". E "natureza" não é o conjunto das coisas criadas, e sim o próprio princípio criador de todas as coisas. Portanto, quando Aristóteles diz que a arte imita a natureza, devemos entender que essa afirmação, que pode ser encontrada em qualquer tradução moderna da *Poética*, é uma má tradução, originada talvez em uma interpretação isolada do texto. "A arte imita a natureza", na verdade, quer dizer: "A arte recria o princípio criador das coisas criadas".

Para que fique um pouco mais claro como se processa essa "recriação" e qual é esse "princípio", devemos, ainda que superficialmente, recordar alguns filósofos que elaboraram suas teorias antes de Aristóteles.

Escola de Mileto

Entre os anos 624 e 558 a.C., viveu na cidade grega de Mileto um comerciante de azeite, muito religioso, que era também navegante. Acreditava piamente em todos os deuses mas, ao mesmo tempo, tinha que transportar sua mercadoria por via marítima. Por isso, ocupava uma boa parte do seu tempo em elevar aos céus suas orações, para que fizesse bom tempo e mar tranquilo, e nos seus momentos livres se dedicava a estudar as estrelas, os ventos, o mar e as relações entre as figuras geométricas. Tales — assim se chamava esse grego — foi o primeiro cientista a prever um eclipse solar. Também a ele se atribui um tratado de astronomia náutica. Como se vê, Tales acreditava nos deuses, mas não descuidava do estudo das ciências. Chegou à conclusão de que o mundo das aparências, caótico, multi-facético, na realidade nada mais era do que o resultado de diversas transformações de uma só substância: a água. Para ele, a água se podia transformar em todas as coisas e todas as coisas se podiam igualmente transformar em água. Essas transformações, segundo Tales, ocorriam porque as coisas possuíam "alma". Às vezes, essa "alma" podia se tornar sensível e seus efeitos eram imediatamente visíveis: o ímã atrai o ferro — esta atração é a alma. Portanto, segundo ele, a alma das coisas consiste no movimento que as próprias coisas possuem, que as transforma em água que, por sua vez, se transforma em todas as coisas.

Anaximandro

Anaximandro, que viveu pouco depois (610-546 a.C.), acreditava mais ou menos no mesmo, mas para ele a substância fundamental não era a água e sim algo indefinível, sem predicados, chamado *apeiron*, que se condensava ou rarefazia, criando assim as coisas. O *apeiron* era divino, por ser imortal e indestrutível.

Outro dos filósofos chamados da Escola de Mileto, Anaxímenes (585-528 a.C.), sem variar grandemente as concepções anteriores, afirmava que o ar era o elemento mais próximo à imaterialidade e era portanto o princípio universal que dava origem a todas as coisas.

Existe algo comum a esses três filósofos: a busca de uma matéria ou substância única, cujas transformações originam todas as coisas conhecidas; além disso, os três afirmam — cada um à sua maneira — a existência de uma força transformadora, imanente à substância, seja esta o ar, a água ou o *apeiron*. Ou quatro elementos, como queria Empédocles (ar, água, terra e fogo), ou o número, como queria Pitágoras. De tudo o que escreveram, no entanto, poucos textos chegaram até os nossos dias. Já de Heráclito, o primeiro dialético, temos farta documentação.

Heráclito e Crátilo

Para Heráclito, o mundo e todas as coisas do mundo estão em permanente transformação. E essa transformação permanente é a única coisa imutável. A aparência de estabilidade é uma simples ilusão dos sentidos e deve ser corrigida pela razão.

E como ocorre essa transformação? Bem: todas as coisas se transformam em fogo e o fogo se transforma em todas as coisas, da mesma maneira pela qual o ouro se transforma em joias que podem por sua vez ser transformadas em ouro. Mas, como na verdade o ouro não se transforma e sim é transformado, existe alguém (o joalheiro), estranho à matéria *ouro*, que faz possível essa transformação. Porém, para Heráclito, o elemento transformador residia dentro da coisa mesma, como uma oposição: "a guerra é a mãe de todas as coisas; a oposição unifica, pois o que está separado cria a mais bela harmonia; tudo que acontece, acontece tão somente porque existe luta". Isto é, cada coisa traz dentro de si mesma um antagonismo que faz com que se mova do que é para o que não é.

Para mostrar o caráter de permanente transformação de todas as coisas, Heráclito dava um exemplo concreto: ninguém pode entrar duas vezes no mesmo rio. Por quê? Porque na segunda vez em que entre já não serão as mesmas águas as que estarão correndo, nem será exatamente a mesma pessoa, que será mais velha, ainda que seja de tão somente alguns segundos.

Crátilo, seu aluno, ainda mais radical, dizia ao mestre que ninguém pode entrar no rio nem sequer uma só vez, pois, ao entrar, já as águas do rio se estarão movendo (e em que águas entrará?) e já estará envelhecendo a pessoa que tenta entrar no rio (e quem estará entrando, a mais velha ou a mais jovem?). Só o movimento das águas é eterno, dizia Crátilo; só o envelhecimento é eterno; só o movimento existe: tudo o mais são aparências vãs.

Parmênides e Zenão

No extremo oposto a esses dois defensores do movimento, da transformação, da luta interna que promove essa transformação, estava Parmênides, que partia, para a criação de sua filosofia, de uma premissa fundamental, lógica: "O Ser é e o não Ser não é". Efetivamente seria absurdo pensar o contrário e, como dizia Parmênides, "os pensamentos absurdos não são reais". Existe portanto uma identidade entre o "ser" e o "pensar" segundo o filósofo. Se aceitamos essa premissa inicial, dela estaremos obrigados a extrair uma quantidade de consequências:

1. *O Ser é único*, porque, se assim não fosse, haveria entre um Ser e outro Ser o "não Ser", que estaria entre os dois; mas já aceitamos que o "não Ser" não é, e portanto teremos que aceitar que o Ser é único, apesar da aparência enganosa que nos diz o contrário;

2. *O Ser é eterno*, porque, se assim não fosse, depois do Ser viria necessariamente o "não Ser" que, como já vimos, não é;

3. *O Ser é infinito* (e aqui Parmênides cometeu um pequeno erro lógico: depois de afirmar que o Ser é infinito — pois do contrário, depois de sua finitude, viria o não Ser — afirmou também que era esférico; ora, pois, se é esférico, tem uma forma, e se a tem, terá igualmente seus limites, além dos quais necessariamente estaria outra vez o não Ser. Não é este porém o lugar para examinar tais sutilezas. Possivelmente "esférica" seja uma má tradução e talvez Parmênides tivesse querido dizer "infinito em todas as direções" ou coisa que o valha);

4. *O Ser é imutável*, porque toda transformação significaria que o Ser deixaria de ser o que é para começar a ser o que ainda não é: entre um e outro estado, necessariamente estaria instalado o não Ser, e como este não é, não existe possibilidade alguma, segundo essa lógica, de que exista qualquer transformação;

5. *O Ser é imóvel*: o movimento é uma ilusão, porque significaria que o Ser se moveria de um lugar onde está para um lugar onde não está, significando isso que entre os dois lugares estaria o não Ser e, uma vez mais, isso seria uma impossibilidade lógica.

Destas afirmações, Parmênides termina por concluir que, como elas estão em desacordo com os nossos sentidos, com o que podemos ver, ouvir e sentir, isto significa que existem dois mundos perfeitamente definíveis: o mundo inteligível, racional, e o mundo das aparências. O movimento, segundo ele, é uma ilusão, porque podemos demonstrar que não existe; o mesmo em relação à multiplicidade das coisas reais existentes, que são, em sua lógica, um único Ser, infinito, eterno, intransformável, imóvel.

Também Parmênides, como era hábito, tinha seu discípulo radical, chamado Zenão. Este tinha o costume de contar duas histórias para provar a inexistência do movimento. Duas histórias célebres, mas que vale a pena recordar. A primeira contava que em uma corrida entre Aquiles (o mais rápido corredor grego) e uma tartaruga, aquele jamais conseguiria alcançar esta, se à tartaruga fosse concedida uma pequena vantagem inicial. Assim era seu raciocínio: por mais rápido que corra Aquiles, terá que vencer primeiro a distância que o separava da tartaruga no momento em que se iniciou a corrida. Mas, por mais lenta que seja a tartaruga, durante esse breve momento ela já se terá movido, ainda que seja tão somente alguns poucos centímetros. Quando Aquiles se proponha outra vez a alcançá-la, terá, sem dúvida, que vencer essa segunda distância. Durante esse lapso de tempo, por menor que seja, uma vez mais a tartaruga terá avançado um pouco mais e, para sobrepassá-la, Aquiles terá uma vez mais que vencer a distância, cada vez menor, que continuamente o estará separando da tartaruga, que, muito lentamente, jamais se deixará vencer.

A segunda história consistia em afirmar que, se um arqueiro dispara uma flecha em direção a uma pessoa, essa pessoa não tem nenhuma razão para sair da frente, porque a flecha jamais a alcançará. Da mesma forma, se cai uma pedra na cabeça de alguém, esse alguém não tem a menor necessidade de fugir, porque a pedra jamais lhe quebrará a cabeça. Por quê? Muito simplesmente, segundo Zenão (obviamente um homem de extrema direita!), porque uma flecha ou uma pedra, para mover-se, como qualquer objeto ou qualquer pessoa, deve mover-se ou no lugar onde está ou no lugar onde ainda não está. Não se pode mover no lugar onde está, porque, se está aí, isso significa que não se moveu. Tampouco se pode mover no lugar onde não está, porque é evidente que não está lá para fazer esse movimento. Conta-se que quando lhe atiravam pedras pela rua por causa de raciocínios como esse, Zenão, apesar de sua lógica, fugia...

Claro que a lógica de Zenão padece de uma falha fundamental: o movimento de Aquiles e da tartaruga não são interdependentes, nem descontínuos. Aquiles não vence primeiro uma parte da distância, pa-

A arte imita a natureza

ra vencer depois a segunda etapa. Ao contrário, corre toda a distância sem se relacionar com a velocidade da tartaruga, ou com a de um bicho-preguiça que pode estar por sua livre-iniciativa participando da mesma corrida. No segundo caso, o movimento não se processa em um lugar *ou* em outro, e sim de um lugar *para* o outro: o movimento é justamente a passagem de um lugar a outro e não uma sequência de atos em distintos lugares.

Logos e Platão

É importante compreender que não pretendo aqui escrever a história da filosofia, mas apenas tentar explicar o mais claramente possível o conceito aristotélico de que a arte imita a natureza, e de esclarecer de que natureza se trata, de que tipo de imitação e de que tipo de arte. Por isso, passamos tão superficialmente por cima de tantos pensadores e, de Sócrates, queremos deixar estabelecido tão somente o seu conceito de *logos*. Para ele, o mundo real necessitava ser conceituado à maneira dos geômetras. Na natureza, existem infinidades de formas que se assemelham a uma forma geralmente designada como triângulo; assim se estabelece o conceito, o *logos* do triângulo: é a figura geométrica que possui três lados e três ângulos. Uma infinidade de objetos reais podem ser assim conceituados. Existe uma infinidade de formas de objetos que se parecem ao quadrado, à esfera, ao poliedro; portanto, se estabelecem os conceitos (*logos*) do poliedro, da esfera e do quadrado. Deve-se fazer o mesmo, dizia Sócrates, com os *logos* de valores morais e conceituar o que é a coragem, o bem, o amor, a tolerância etc.

Platão utiliza a ideia socrática de *logos* e vai mais longe:

1. A *ideia* é a visão intuitiva que temos e, justamente por ser intuitiva, é pura: não existe na realidade nenhum triângulo perfeito, mas a ideia que temos do triângulo é perfeita. Não se trata deste ou daquele triângulo que podemos ver na realidade, mas sim do triângulo "em geral". Quando as pessoas se amam, quando realizam o ato do amor, realizam-no imperfeitamente. Mas a *ideia* de amor, essa ideia é perfeita. Todas as *ideias* são perfeitas e são imperfeitas todas as coisas concretas da realidade;

2. As *ideias* são as essências das coisas existentes no mundo sen-

sível. As ideias são indestrutíveis, imóveis, imutáveis, intemporais e eternas;

3. O *conhecimento* consiste em que nos elevemos, através da dialética — isto é, do debate das ideias postas e contrapostas, das ideias e das negações dessas mesmas ideias, que são, por sua vez, outras *ideias* — desde o mundo da realidade sensível até o mundo das ideias eternas. Essa ascese é o conhecimento.

PORTANTO, QUAL É O SIGNIFICADO DE IMITAR?

Aqui estamos quando entra Aristóteles (384-322 a.C.) e refuta Platão:

1. Platão unicamente multiplicou os seres que para Parmênides eram um só Ser; para ele são infinitos, porque infinitas são as ideias;

2. A *metaxis* (em grego: *methexis*), isto é, a participação de um mundo em outro, é incompreensível; na verdade, que tem a ver o mundo das ideias perfeitas com o mundo imperfeito das coisas reais? Existe o trânsito? Como se processa esse trânsito?

Refuta mas, ao mesmo tempo, também o utiliza. Introduz alguns novos conceitos: *substância* é a unidade indissolúvel de *matéria* e *forma*. Matéria, por sua vez, é o que constitui a *substância*: a matéria de uma tragédia são as palavras que a constituem; a matéria de uma estátua é o mármore ou a pedra. *Forma* é a soma de todos os predicados que podemos atribuir a uma coisa, é tudo o que podemos dizer dessa coisa. Cada coisa vem a ser o que é (uma estátua, um livro, uma casa, uma árvore) porque a sua matéria recebe uma forma que lhe dá sentido e finalidade. Esta conceituação confere ao pensamento platônico a característica dinâmica que lhe faltava. O mundo das ideias não coexiste lado a lado com o mundo das realidades, mas, ao contrário, as *ideias* (aqui chamadas *formas*) são o próprio princípio dinâmico da matéria. Em última análise: para Aristóteles, a realidade não é a cópia das ideias mas, ao contrário, *tende* à perfeição expressa por essas ideias; contém, em si mesma, o *motor* que a levará a essa perfeição.

O homem tem a tendência a ser saudável, a ter a proporção corporal perfeita etc.; os homens, em conjunto, tendem à família perfeita, ao Estado. As árvores tendem à perfeição da Árvore, isto é, à ideia platônica da árvore perfeita. O amor tende ao Amor platônico, perfeito.

A *matéria*, para Aristóteles, era pura potência e a *forma*, puro ato. E o movimento das coisas em busca da perfeição é o que ele chamava ato-alização da potência, isto é, o trânsito da pura potência à pura forma. Para nossos propósitos, neste momento, interessa insistir neste ponto: para Aristóteles, as coisas tendiam à perfeição por virtudes próprias, por sua própria *forma*, ou motor, ou ato-alização de sua potência. Não existem dois mundos e portanto não existe *metaxis* (*methexis*). O mundo da perfeição não é nada mais que um anelo, um movimento que desenvolve a matéria em direção à sua forma final.

Portanto, que quer dizer "imitar" para Aristóteles? Quer dizer: recriar esse movimento interno das coisas que se dirigem à perfeição. "Natureza" era esse movimento e não o conjunto de coisas já feitas, acabadas, visíveis. "Imitar", portanto, não tem nada a ver com "realismo", "cópia" ou "improvisação". E é por isso que Aristóteles podia dizer que o artista deve "imitar" os homens como *deviam ser* e não como são. Isto é, imitar um modelo que não existe.

Para que servem então a arte e a ciência?

Se as coisas por si mesmas tendem à perfeição, se a perfeição é imanente a todas as coisas e não transcendente, para que servem então a arte e a ciência?

A Natureza, segundo Aristóteles, *tende* à perfeição, mas isso não quer dizer que a alcance. O corpo humano tende à saúde, mas pode enfermar-se. Os homens tendem gregariamente ao Estado perfeito e à vida comunitária, mas podem ocorrer guerras. Diríamos melhor, portanto, que a Natureza tem certos fins em vista, perfeitos, e a eles tende, mas às vezes fracassa. Para isso serve a arte e serve a ciência: para, "recriando o princípio criador" das coisas criadas, corrigir a natureza naquilo em que haja fracassado.

Alguns exemplos: o corpo humano *tenderia* a resistir à chuva, ao vento e ao sol, mas tal não se dá, e a pele não é suficientemente resistente para isso. Entra, pois, em ação a arte da tecelagem, que permite a fabricação de tecidos para a proteção da pele. A arte da arquitetura constrói edifícios e pontes para a habitação do homem e para que cruze os rios. A medicina prepara os medicamentos necessários para quando determinado órgão deixe de funcionar como deve. E a política serve igualmente para corrigir as falhas que os homens possam cometer, ainda que tendam todos à vida comunitária perfeita.

Esta é a função da arte e da ciência: corrigir as falhas da Natureza, utilizando para isso as próprias sugestões da Natureza.

ARTES MAIORES E ARTES MENORES

As artes e as ciências não existem isoladamente, sem que nada as relacione, mas, ao contrário, estão todas inter-relacionadas segundo a atividade própria de cada uma. Estão de certa forma hierarquizadas segundo a maior ou menor magnitude do seu campo de ação. As artes maiores se subdividem em artes menores e cada uma destas trata dos elementos específicos que compõem aquelas.

Criar cavalos é uma arte; também o é a arte do ferreiro; estas duas artes, conjuntamente com a do homem que prepara artefatos de couro, e outras mais, constituem a arte maior da equitação. Esta arte, por sua vez, em companhia de outras, como a arte da topografia, a arte da estratégia etc., constituem a arte da guerra. E assim sucessivamente: sempre um conjunto de artes afins se constitui em uma arte maior, mais ampla e mais complexa.

Outro exemplo: a arte de preparar tintas, a arte de fabricar pincéis, a arte de tecer o tecido apropriado, a arte da combinação de cores etc., formam, em conjunto, a arte da pintura.

E, se assim é, se existem artes maiores e artes menores, estando estas contidas naquelas, deverá necessariamente existir uma arte soberana, que conterá todas as demais artes e ciências, cujo campo de ação e interesses incluirá necessariamente o campo de ação e os interesses de todas as demais artes e de todas as demais ciências.

A arte imita a natureza

Esta Arte Soberana, evidentemente, será aquela cujas leis regem as relações de todos os homens, em sua absoluta totalidade, e que inclua absolutamente todas as atividades humanas. E esta arte só pode ser a Política.

Nada é alheio à política, porque nada é alheio à arte superior que rege todas as relações de todos os homens. A medicina, a guerra, a arquitetura etc., todas as artes menores e todas as artes maiores, todas, sem exceção, integram essa arte soberana, estão sujeitas a essa arte soberana.

Até este momento, já temos estabelecido que a Natureza tende à perfeição, que as artes e as ciências corrigem a Natureza em todas as suas falhas, e que, ao mesmo tempo, se inter-relacionam sob o domínio da Arte Soberana, que trata de todos os homens, de tudo que os homens fazem e de tudo que para eles se faz: a Política.

E a tragédia? Que imita?

A tragédia imita ações humanas. Ações, e não meramente atividades humanas.

Para Aristóteles, a alma do homem se compunha de uma parte racional e de outra irracional. A alma irracional podia produzir certas atividades como comer, andar, mover-se, sem que esses atos físicos tivessem maior significado. A tragédia, porém, devia imitar tão somente as ações determinadas pela alma racional do homem.

A alma racional podia-se dividir em três partes:
a) Faculdades;
b) Paixões;
c) Hábitos.

Uma "faculdade" é tudo aquilo que o homem é capaz de fazer, ainda que não o faça. O homem, ainda que não ame, é capaz de amar. Ainda que seja covarde, é capaz de mostrar coragem. A faculdade é pura potência e é imanente à alma racional.

Embora a alma racional possua todas as faculdades, apenas algumas chegam a se realizar: estas são as paixões. Uma "paixão" não é meramente uma possibilidade, mas sim um fato concreto. O amor é uma paixão desde que seja exercido como tal. Enquanto seja simples possibilidade, será simples "faculdade" e não "paixão". Uma paixão é uma faculdade *ato-alizada*, uma faculdade que se transforma em ato concreto.

Nem todas as paixões servem de matéria para a tragédia. Se um homem, em determinado momento, exerce casualmente uma paixão, esta não será uma ação digna de uma tragédia. É necessário que essa paixão seja constante nesse homem. Isto é: por sua incidência deve ter-se convertido em um hábito. Por isso, podemos afirmar que, para Aristóteles, a tragédia devia imitar as ações do homem, mas tão somente aquelas produzidas pelos *hábitos* de sua *alma racional*. Fica excluída portanto a atividade puramente animal e também as faculdades e paixões que não se hajam convertido em hábitos. Isto é, os acidentes.

Com que fim se exerce uma paixão, um hábito? Qual é a finalidade do homem? Cada parte do homem tem uma finalidade própria: a mão agarra, a boca come, a perna anda, o cérebro pensa etc., mas o homem, em sua totalidade, que finalidade tem? Responde Aristóteles: "O bem é o fim de todas as ações do homem". Não se trata da ideia abstrata do bem, mas sim de um bem concreto, diversificado nas diversas artes e nas diversas ciências que tratam de fins particulares. Cada ação humana tem, portanto, uma finalidade limitada a essa ação, enquanto que todas as ações em seu conjunto têm como finalidade o bem supremo do homem. E qual é o bem supremo do homem? Diz Aristóteles: é a felicidade.

Até agora podemos afirmar que a "tragédia imita as ações do homem, da sua alma racional, dirigidas à obtenção do seu fim supremo, que é a felicidade!". Porém, para entender quais são essas ações, teremos que saber o que é a felicidade...

O QUE É A FELICIDADE?

Segundo Aristóteles, existem três tipos de felicidade: a dos prazeres materiais, a da glória e a da virtude.

Para a gente comum, a felicidade consiste em possuir bens materiais e em desfrutá-los. Riquezas, honrarias, prazeres sexuais e gastronômicos etc. Essa é a felicidade! Para o filósofo grego, neste nível, a felicidade humana se diferencia muito pouco da felicidade que podem experimentar também os animais. Essa felicidade, portanto, não merece ser estudada pela tragédia.

No segundo nível, a felicidade é a glória. Neste caso, o homem age segundo a sua própria virtude, porém a sua felicidade consiste em que a sua ação seja reconhecida pelos demais. Este homem, para ser feliz, necessita da *aprovação* dos demais.

Finalmente, o homem alcança o nível superior da felicidade quando age virtuosamente, e isso lhe basta. Sua felicidade consiste em agir virtuosamente, e não lhe importa que os demais o reconheçam ou não. Este é o grau supremo da felicidade: o exercício virtuoso da alma racional.

Agora sabemos que a tragédia "imita as ações da alma racional, paixões transformadas em hábitos, do homem que busca a felicidade, isto é, o comportamento virtuoso". Muito bem. Mas ainda nos falta saber o que é a virtude...

E A VIRTUDE, O QUE É?

A virtude é o comportamento mais distante dos extremos de comportamento possíveis em uma situação dada. A virtude não pode ser encontrada nos extremos: tanto o homem que voluntariamente não come como o comilão causam danos à própria saúde. Nenhum dos dois se comporta virtuosamente. Comer com moderação, sim, é um comportamento virtuoso. Tanto a ausência do exercício físico como o exercício demasiado violento arruínam o corpo: o exercício físico moderado é o comportamento virtuoso. Ocorre o mesmo com as virtudes morais: Creonte pensa apenas no bem do Estado, enquanto que Antígona pensa apenas no bem da família, e por isso deseja enterrar o corpo de seu irmão invasor. Os dois se comportam de uma forma não virtuosa: seus comportamentos são extremos. A virtude estaria em alguma parte do meio-termo. Seria necessário respeitar os interesses da família, mas também os do Estado. O homem que se entrega a todos os prazeres é um libertino, mas o que foge de todos os prazeres é um insensível. O que foge de todos os perigos é um covarde, mas o que enfrenta todos os perigos é um temerário.

A virtude não está geometricamente no meio, não é equidistante: a coragem (virtude) de um soldado está muito mais perto da temeridade do que da covardia. A virtude também não existe em nós "naturalmente": é necessário aprendê-la. As coisas da Natureza não podem adquirir hábitos: o homem, sim. A pedra não pode cair para cima, nem o fogo queimar para baixo. Nós, os homens, podemos criar hábitos que nos permitam o comportamento virtuoso. Os animais podem criar hábitos, mas jamais serão capazes de sentir a felicidade no seu nível superior.

A Natureza, sempre segundo Aristóteles, nos dá faculdades e nós temos o poder de transformá-las em atos (paixões) e em hábitos. Torna-se sábio aquele que exerce a sabedoria, e se torna justo aquele que exerce a justiça, enquanto que o arquiteto adquire sua virtude como arquiteto construindo edifícios. Hábitos, e não simples faculdades! Hábitos, e não apenas paixões passageiras!

Aristóteles vai mais longe e afirma que os hábitos devem ser contraídos desde a infância e que o jovem não pode fazer política porque necessita antes "aprender todos os hábitos virtuosos que lhes ensinam os mais velhos, os legisladores que preparam os cidadãos para o exercício dos hábitos virtuosos...".

Sabemos agora que o vício é o comportamento extremo e que a virtude é o comportamento em que não se verifica excesso nem carência. Mas, para que se possa dizer que determinado comportamento é virtuoso ou vicioso, é necessário que se cumpram quatro condições indispensáveis: voluntariedade, liberdade, conhecimento e constância. Já explicaremos o significado dessas expressões, mas queremos antes deixar bem claro que a "tragédia imita as ações da alma racional do homem (paixões habituais), em busca de uma felicidade que consiste no comportamento virtuoso". Pouco a pouco, nossa definição, segundo Aristóteles, vai-se tornando cada vez mais complexa.

Características necessárias à virtude

O homem pode se comportar de uma maneira totalmente virtuosa e nem por isso ser considerado virtuoso, ou de uma maneira viciosa e nem por isso ser considerado vicioso. São necessárias quatro condições para que o comportamento seja considerado vício ou virtude:

Primeira condição: voluntariedade

A voluntariedade exclui o acidente. Isto é: o homem atua porque decide voluntariamente atuar.

Um dia um pedreiro pôs uma pedra em cima de um muro de tal maneira que um forte vento jogou-a abaixo. Por casualidade, caiu em cima da cabeça de um transeunte que ia passando. E ele morreu. Sua viúva processou o pedreiro e este se defendeu afirmando que não tinha cometido crime algum porque não tinha tido a intenção de matar a vítima. Não haveria, pois, o comportamento vicioso, porque se tratava nitidamente de um acidente. Mas o juiz não aceitou essa defesa e condenou o pedreiro, baseando-se no fato de que não existia voluntariedade em relação à morte do transeunte, mas sim em colocar uma pedra em tal posição, que podia cair e causar uma morte. Nesse aspecto, existiu voluntariedade.

Se a ação de um homem é determinada por sua vontade, aí existe virtude ou vício. Se, ao contrário, sua ação não está determinada por sua vontade, aí não existirá uma coisa nem outra. Quem pratica o bem sem perceber o que está fazendo, não é uma boa pessoa. Nem será má aquela que causar um dano involuntário.

Segunda condição: liberdade

Neste caso se exclui a violência exterior. Se um homem faz alguma coisa má, obrigado por outro que lhe aponta um revólver na cabeça, não se pode, neste caso, falar em vício. A virtude é o comportamento livre, sem pressões exteriores de nenhuma índole.

Uma mulher, abandonada por seu amante, decidiu matá-lo antes de perdê-lo. Levada aos tribunais, declarou, para defender-se, que não havia agido livremente: havia sido levada ao crime por sua paixão irracional. Mas também neste caso o juiz pensou diferentemente: a paixão é parte integrante da pessoa, é parte da sua "alma". Não existe liberdade quando alguém sofre uma violência *exterior*, e este era um impulso *interior*. E a mulher foi condenada.

Terceira condição: conhecimento

É o contrário da ignorância. A pessoa que age tem diante de si uma opção cujos termos essa pessoa conhece. Em um tribunal, um criminoso bêbado afirmou que havia cometido o crime em estado de embriaguez, e portanto não tinha consciência do que fazia no momento em que matou outro homem. Também neste caso o bêbado foi condenado: antes de começar a beber tinha perfeita consciência de que o álcool podia levá-lo ao estado de inconsciência. Era, portanto, culpado de ter-se permitido chegar a um estado em que já não teria mais conhecimento do que fazia.

Em relação a esta terceira condição do comportamento virtuoso, em geral se contrapõem os casos de Otelo e de Édipo. Nos dois casos se discute a existência de conhecimento (que confere características de virtude ou de vício ao comportamento), ou não. Na minha opinião, é certo que Otelo desconhece a verdade: Iago mente sobre a infidelidade de Desdêmona, sua esposa, e Otelo, cego de ciúmes, mata-a.

A tragédia de Otelo, contudo, reside em algo muito além do simples assassinato. Sua falha trágica (e logo discutiremos o conceito de *harmatia*, falha trágica) não é ter dado morte à sua esposa. Esse não era um acontecimento "habitual". Ao contrário, o seu constante orgulho e a sua temeridade irrefletida, esses sim, eram hábitos. Em vários momentos da peça, Otelo conta como arremetia contra seus inimigos sem medir as consequências da sua ação. Sua soberba foi a causa da sua desgraça, e sobre isso Otelo tinha perfeita consciência, perfeito conhecimento.

Também no caso de Édipo é necessário considerar qual a sua verdadeira falha trágica (*harmatia*). Sua tragédia não consiste em haver assassinado seu pai e casado com sua mãe. É lógico que esses não eram atos "habituais" e, como já vimos, o hábito é uma das quatro características do comportamento virtuoso ou vicioso. Se lemos com atenção a peça de Sófocles veremos que Édipo, em todos os momentos importantes de sua vida, revela seu extraordinário orgulho, sua soberba,

A arte imita a natureza

sua autovalorização, que faz com que ele se acredite superior aos próprios deuses. Não é a *Moira* (o Destino) que faz com que ele caminhe para o seu fim trágico; ele mesmo, por decisão própria, caminha para a sua desgraça. É sua intolerância que o leva a matar um velho (que descobre, posteriormente, ser seu pai), porque este não o tratou com o devido respeito, numa encruzilhada. E, quando decifrou o enigma da Esfinge, foi uma vez mais por orgulho que aceitou o trono de Tebas e a mão da Rainha, uma senhora com idade suficiente para ser sua mãe. Para infelicidade sua, era! Caramba: uma pessoa a quem os oráculos (espécie de macumbeiros ou videntes da época) haviam dito que ia se casar com sua própria mãe e matar seu próprio pai deveria ter um pouco mais de cuidado e abster-se de matar velhos com idade de ser seu pai, e de casar-se com velhas com idade de ser sua mãe. Por que não o fez? Por orgulho, por soberba, por intolerância, por acreditar-se adversário digno dos próprios deuses. Essas são as suas falhas, esses são os seus vícios. Conhecer ou não as identidades de Jocasta e de Laio era inteiramente secundário. O próprio Édipo, quando reconhece seus erros, reconhece esses fatos.

Concluímos então que a terceira condição para que o comportamento seja virtuoso consiste em que o agente saiba, conheça, os verdadeiros termos da sua opção. Quem quer que aja por ignorância não pratica vício nem virtude.

Quarta condição: constância
Como as virtudes e os vícios são hábitos e não apenas paixões, é necessário que o comportamento virtuoso ou vicioso seja também constante. Todos os heróis da tragédia grega agem consistentemente da mesma maneira. Quando a falha trágica de um personagem consiste precisamente na sua incoerência, esse personagem deve ser apresentado como "coerentemente incoerente". Mesmo nesse caso, nem o acidente nem a casualidade caracterizam o vício ou a virtude.

Assim, pois, os homens que a tragédia imita são os homens virtuosos que, ao atuar, mostram voluntariedade, liberdade, conhecimento e constância. O homem busca a felicidade através da virtude, e essas são as quatro condições necessárias ao exercício da virtude. Mas, existirá uma só virtude, ou existirão virtudes de diferentes graus?

Os graus da virtude

Cada arte, cada ciência, possui a sua própria virtude, porque possui o seu próprio fim, o seu próprio bem. A virtude do cavaleiro consiste em andar bem a cavalo; a virtude do ferreiro em fabricar bem instrumentos de ferro; a virtude do artista em criar sua obra perfeita; a do médico, em restituir a saúde ao doente; a do legislador, em fazer as leis perfeitas que tragam a felicidade aos cidadãos.

Vemos assim que cada arte e cada ciência possui a sua própria virtude, mas também é verdade que todas as artes e todas as ciências estão inter-relacionadas, são interdependentes, e que umas são superiores às outras quando são mais complexas que as outras, e quando estudem ou incluam setores maiores da atividade humana. De todas as artes e ciências, a ciência e a arte soberana é a Política, porque nada lhe é estranho. A Política tem como objeto de estudo a totalidade das relações da totalidade dos homens. Portanto, o maior bem, cuja obtenção signicará a maior virtude, é o Bem Político.

A tragédia imita as ações do homem, cujo fim é o bem; mas a tragédia não imita as ações cujos fins são fins menores, de importância secundária. A tragédia imita as ações cujo fim é o fim superior, o Bem Político. E qual será o Bem Político? Não há dúvida: o bem superior é o Bem Político e o Bem Político é a Justiça!

Mas o que é a Justiça?

Na *Ética a Nicômaco*, Aristóteles propõe (e nós aceitamos) que "justo é o igual e injusto o desigual". Em qualquer divisão, as pessoas que sejam iguais devem receber partes iguais, e as pessoas que, por qualquer critério, sejam desiguais, devem receber partes desiguais. Até aí estamos de acordo. Mas é necessário definir quais são os critérios de desigualdade porque ninguém vai desejar ser desigual "para menos", e todos desejarão ser desiguais "para mais".

O próprio Aristóteles era contra a lei de talião (olho por olho, dente por dente), porque dizia que, se as pessoas não fossem iguais, tampouco seriam iguais os seus dentes e os seus olhos. Por isso, tinha cabimento perguntar: olho de quem por olho de quem? No caso de se tratar de um olho de senhor por um olho de escravo, Aristóteles se opunha porque, para ele, esses olhos não se equivaliam. Se se tratasse de um dente de homem por um dente de mulher, para Aristóteles tampouco havia equivalência.

Neste ponto, para determinar os critérios de desigualdade e para que ninguém possa protestar, o nosso filósofo utiliza um argumento aparentemente honesto. Pergunta: "de que devemos partir, dos princípios ideais abstratos e descer até a realidade, ou, pelo contrário, da realidade concreta e subir até os princípios?". Abandonando qualquer romantismo, ele mesmo responde: "devemos partir evidentemente da realidade concreta; empiricamente temos que descobrir quais são as desigualdades reais existentes e sobre elas basear os nossos critérios de desigualdade".

Esse raciocínio falaz nos leva a aceitar como justas as desigualdades *já existentes*. Quer dizer, a Justiça já estaria contida na realidade tal qual é. Aristóteles não considera a possibilidade de *transformação das desigualdades já existentes*: ele as aceita como justas, porque são empiricamente constatáveis. E só por isso.

Em seguida determina que, existindo na realidade empírica homens livres e homens escravos (e não importam os princípios abstratos, não importa saber se essa realidade pode ser transformada), esse será o primeiro critério de desigualdade. Ser homem é *mais* do que ser mulher — quem o diz é Aristóteles, que assim crê interpretar a realidade real e concreta. Se aceitarmos essas desigualdades, os homens livres estariam em primeiro lugar, viriam depois as mulheres livres, em seguida os homens escravos e, fechando a fila, as pobres mulheres escravas.

Assim era a "democracia" ateniense, que se baseava no valor supremo da "liberdade". Mas nem todas as sociedades se baseiam nesse mesmo valor ou apenas nele: para as oligarquias, por exemplo, o valor supremo é a riqueza. Nelas, os homens que mais têm são considerados superiores aos que menos possuem. Sempre partindo da realidade tal qual é... Pelo contrário.

Chegamos assim à conclusão de que a Justiça não é a igualdade e sim a proporcionalidade. E os critérios de desigualdade estão dados pelo sistema político vigente em cada cidade, ou em cada país. A Justiça será sempre a proporcionalidade, mas os critérios que determinam esta não serão sempre os mesmos, variando quando se trate de uma democracia, uma oligarquia, uma república, uma ditadura etc.

E como se estabelecem os critérios de desigualdade para que todos os conheçam? Através das leis! E quem fabrica essas leis? Se as leis fossem feitas pelos seres humanos de categorias inferiores, como as mulheres, os escravos, os pobres etc., evidentemente seriam leis inferiores como seus autores. Para que se façam leis superiores é necessário que sejam feitas por seres superiores: os homens livres, os ricos etc. Eu quero deixar bem claro que quem faz essas afirmações é Aristóteles, eu não tenho nada que ver com isso... Pelo contrário.

A Constituição sistematiza o conjunto de leis de uma cidade ou país. A Constituição, portanto, é a expressão do Bem Político, é a expressão máxima da Justiça.

Agora, finalmente, com a ajuda da *Ética a Nicômaco*, podemos chegar a uma conclusão clara do que é, para Aristóteles, a tragédia. Sua definição mais ampla e mais completa seria a seguinte: "A tragédia imita as ações da alma racional do homem, suas paixões tornadas hábitos, em busca da felicidade, que consiste no comportamento virtuoso, que é aquele que se afasta dos extremos possíveis em cada situação dada concreta, cujo bem supremo é a Justiça, cuja expressão máxima é a Constituição".

Ufa!

Em última instância, a felicidade consiste em obedecer às leis! Ora veja! Aristóteles não diz nem mais nem menos do que isso, e o declara com todas as letras!

Para as pessoas que fazem as leis, parece que isso lhes vai muito bem. Mas e os outros? Estes, compreensivelmente, se rebelam e não desejam aceitar os critérios de desigualdade que a realidade *atual, vigente* — mas não necessariamente eterna —, propõe. Esses critérios são modificáveis, como modificável é a própria realidade. Por que não modificá-la? Nestes casos, adverte severamente o filósofo, "às vezes a guerra é necessária...". Quer dizer, quando não são aceitos por bem, os critérios são impostos na marra!

A arte imita a natureza

Em que sentido o Teatro pode funcionar como um instrumento purificador e intimidatório?

Já vimos que a população de uma cidade ou país não está "uniformemente" contente com as desigualdades reais existentes. Por isso é necessário fazer com que todos fiquem, se não uniformemente contentes, pelo menos uniformemente passivos, diante das desigualdades e seus critérios. Como consegui-lo? Através das muitas formas de repressão: política, burocracia, polícia, hábitos, costumes, tragédia grega etc.

Essa afirmação pode parecer um tanto arriscada, mas nada mais é do que a verdade. Na realidade, o sistema apresentado por Aristóteles em sua *Poética*, o sistema de funcionamento da tragédia (e de todas as outras formas de teatro que até hoje seguem os seus mecanismos gerais), não é apenas um sistema de repressão: é claro que outros fatores mais "estéticos" também intervêm, e devem igualmente ser considerados. Neste ensaio, porém, pretendo analisar fundamentalmente este aspecto, a meu ver, central: a função repressiva do sistema proposto por Aristóteles.

E por que a função repressiva é o aspecto fundamental da tragédia grega e do sistema trágico aristotélico? Simplesmente porque, segundo Aristóteles, a finalidade suprema da tragédia é a de provocar a "catarse".

Finalidade última da tragédia

O caráter fragmentário do que nos restou da *Poética* fez desaparecer a sólida conexão existente entre as suas partes, como também a hierarquização de cada uma destas dentro do todo. Só esse fato explica que observações marginais, de escassa ou nenhuma importância, tenham sido consideradas conceitos centrais do pensamento aristotélico. Quando se trata, por exemplo, de Shakespeare ou do teatro medieval, é muito comum dizer-se que tal ou qual peça não é aristotélica porque não obedece à chamada "lei das três unidades"... Hegel, na sua *História da filosofia*, contesta: "As três unidades [...] que as Estéticas antigas formulavam invariavelmente como as *règles d'Aristote, la sceine doctrine*, embora ele fale tão somente da unidade da ação e, apenas de passagem, da unidade de tempo, sem mencionar nunca a terceira unidade, ou seja, a de lugar".

A desproporcionada importância que se dá a esta lei é incompreensível, já que sua validez é tão nula como seria a afirmação de que são aristotélicas apenas as peças que apresentem um prólogo, cinco episódios e cantos corais e um êxodo. A essência do pensamento aristotélico não pode residir em aspectos estruturais como esses. Quando se magnificam esses aspectos menores, isso equivale a comparar o filósofo grego com os modernos e abundantes professores de dramaturgia, especialmente norte-americanos, que nada mais são do que cozinheiros de menus teatrais. Eles estudam as reações típicas de determinados públicos e daí extraem conclusões e regras sobre como se deve escrever a peça perfeita, considerando-se perfeição o êxito de bilheteria...

Aristóteles, ao contrário, escreveu uma Poética completamente orgânica, que é o reflexo, no campo da tragédia e da poesia, de toda a sua contribuição filosófica; é a aplicação prática e concreta dessa filosofia ao campo específico e restrito da poesia e da tragédia.

Por essa razão, sempre que nos encontremos com afirmações imprecisas ou fragmentárias, devemos imediatamente recorrer aos demais textos escritos pelo autor. Foi o que precisamente fez S. H. Butcher no seu livro *Aristotle's Theory of Poetry and Fine Art*,[1] procurando entender a *Poética* desde a perspectiva da Metafísica, da Política, da Retórica e sobretudo das três Éticas. A ele devemos fundamentalmente o esclarecimento do conceito de "catarse".

A Natureza tem certos fins em vista; quando fracassa e não consegue atingir seus objetivos, intervêm a arte e a ciência. O homem, co-

---

[1] Publicado em 1895 pela editora Macmillan de Londres. Samuel Henry Butcher (1850-1910) foi helenista nas universidades de Oxford e Edinburgh. Com Andrew Lang, traduziu em prosa a *Odisseia* de Homero, além de, entre outros, as orações de Demóstenes.

A arte imita a natureza

mo parte da Natureza, tem certos fins em vista: a saúde, a vida gregária no Estado, a felicidade, a virtude, a justiça etc. Quando falha na consecução desses objetivos, intervém a arte da tragédia. Essa correção das ações do homem, do cidadão, chama-se "catarse".

A tragédia, em todas as suas partes quantitativas e qualitativas, existe em função do efeito que persegue: a "catarse". Sobre esse conceito se estruturam todas as unidades da tragédia, todas as suas partes. É o centro, a essência, a finalidade do sistema trágico. Infelizmente, é também o conceito mais controvertido. Catarse é correção; o que corrige? Catarse é purificação; o que purifica?

S. H. Butcher nos ajuda com um desfile de opiniões de gente ilustre, como Racine, Jacob Bernays e Milton.

Racine

Na tragédia "mostram-se as paixões para que se possam ver todas as desordens de que são causadoras; o vício é pintado sempre com cores que fazem conhecer e odiar a deformidade; era isto o que tinham em vista os poetas trágicos, antes de qualquer outra coisa: seu teatro era uma escola onde as virtudes eram tão bem ensinadas como nas escolas dos filósofos. Por essa razão, Aristóteles quis impor regras à construção dos poemas dramáticos. Seria de desejar que as nossas peças fossem assim, tão cheias de instruções úteis como as daqueles poetas".

Como se vê, Racine enfatiza o aspecto doutrinário e moral da tragédia, e isso está muito certo, mas há um pequeno reparo a fazer: Aristóteles não aconselhava o poeta trágico a apresentar personagens viciosos. O herói trágico deveria sofrer uma transformação radical no seu destino, da felicidade à adversidade, mas isso deveria ocorrer "não como consequência de um vício, mas, sim, de algum erro ou debilidade" (capítulo XIII). Já veremos o que é a *harmatia*.

É necessário compreender igualmente que a apresentação do vício ou do "erro ou debilidade" não era feita de tal maneira a provocar nos espectadores repugnância ou ódio. Pelo contrário, Aristóteles sugeria que se tratasse o erro ou debilidade com certa compreensão. Quase sempre o estado de felicidade em que se encontra o herói ao iniciar-se a tragédia é devido precisamente a essa falha, e não às suas virtudes. Édipo é rei de Tebas justamente pela debilidade do seu caráter, isto é, por seu orgulho. Justamente aqui reside a maior eficácia de um processo que teria o seu poder enormemente diminuído se, desde o começo, a falha já fosse apresentada como odiosa, o erro como abominável. É necessário, ao contrário, mostrá-los como aceitáveis, para destruí-los depois, através dos processos poético-teatrais que vamos analisar.

Os maus dramaturgos de todas as épocas não compreendem a enorme importância das transformações ocorridas diante do espectador: teatro é transformação, movimento, e não simples apresentação do que existe. É *tornar-se* e não *ser*.

Jacob Bernays

Em 1857, Bernays propôs uma inteligente teoria: a palavra "catarse" seria uma metáfora médica, uma purgação que denota o efeito patológico sobre a alma análogo ao efeito de um remédio sobre o corpo. Bernays toma a definição de tragédia dada por Aristóteles ("imitação de ações humanas que excitem a piedade e o terror"); justamente porque essas emoções se encontram nos corações de todos os homens, o ato de excitá-las oferece, depois, um agradável relaxamento. Essa hipótese seria confirmada por Aristóteles mesmo, que declara que nós sentimos "piedade pelo destino não merecido do herói, e terror porque esse infortúnio acontece com alguém que se parece com nós mesmos". Já veremos o que significa a palavra "empatia", que se baseia justamente nessas duas emoções.

Os sentimentos estimulados pelo espetáculo trágico não são removidos de maneira permanente e definitiva, acrescenta Bernays, embora nos tranquilizem durante algum tempo. Assim, o teatro oferece uma descarga inofensiva e agradável para os instintos que exigem satisfação e que podem "na ficção do teatro ser tolerados muito melhor do que na vida real".

Bernays, portanto, permite que se suponha que a purgação não se refira somente às emoções de piedade e terror, como também a certos instintos "não sociáveis" ou socialmente proibidos. O próprio Butcher, tentando explicar qual é o objeto da purgação (isto é: de que se purga?), acrescenta por conta própria que se trata da "piedade e do terror que temos em nós mesmos na nossa vida real ou, pelo menos, aqueles elementos que, neles, *são inquietantes*".

Assim nos parece mais claro: talvez o que seja purgado, isto é, o objeto da purgação, não sejam precisamente as emoções de piedade e terror, mas sim alguma coisa que está contida nessas emoções, ou misturada com elas. É necessário determinar com precisão qual poderá ser este corpo estranho que é eliminado pelo processo catártico. Neste caso, piedade e terror seriam apenas parte do mecanismo de expulsão, e não o seu objeto. E precisamente aqui reside a significação política da tragédia.

No seu capítulo XIX, diz a *Poética*: "No conceito de *pensamento* [já veremos o significado da palavra *dianoia*] se incluem todos os efeitos que devem ser produzidos pelo discurso [...] a excitação de sentimentos tais como a piedade e o terror, e *outros semelhantes*". Perguntamos: por que razão a purgação não se poderia dar em relação às emoções *semelhantes*, como o ódio, a inveja, a parcialidade na adoração dos deuses, a desobediência às leis, a soberba etc.? Por que Aristóteles explica somente a presença obrigatória dessas duas emoções?

Se analisarmos alguns personagens trágicos, veremos que eles poderão ser culpados de muitos erros éticos, mas dificilmente poderemos dizer de qualquer deles que possuía em excesso piedade ou terror. Não é nunca aí que fracassa sua virtude. Nem tampouco são impuras, neles, essas emoções. Nem sequer são elas uma característica comum a todos os personagens trágicos.

Por isso podemos afirmar que não é nos personagens trágicos que se manifesta a piedade e o terror, e sim nos espectadores. *Os espectadores se ligam aos seus heróis basicamente através da piedade e do terror*, porque, como diz Aristóteles, algo *imerecido* acontece a um personagem que *se parece a nós mesmos*.

Dou um exemplo: Hipólito ama a todos os deuses intensamente, e isso é bom, mas não ama a deusa do amor e isso é mau. Sentimos piedade porque Hipólito é destruído apesar de todas as suas qualidades e terror porque talvez nós mesmos sejamos criticáveis pela mesma razão de não amar a todos os deuses, como ordenam as leis. Édipo é um grande rei, o povo o ama, seu governo é perfeito e por isso sentimos piedade ao ver a destruição de uma criatura assim tão maravilhosa; e sentimos terror ao perceber que a causa de tão tremendo castigo é a soberba, da qual talvez sejamos também nós culpados, é o desmedido orgulho, que talvez seja um dos nossos próprios pecados. Creonte defende o direito do Estado e nos causa piedade ver que tem que suportar a morte de sua esposa e de seu filho porque, ao lado de tantas virtudes que demonstra possuir, possui também a falha trágica de que talvez sejamos igualmente culpados, que é a parcialidade em ver apenas o bem do Estado e não o da família. E essa possibilidade nos causa terror.

Convém aqui mostrar uma vez mais a relação entre as virtudes e a felicidade do personagem, seguida pela desgraça: por orgulho, Édipo se converte em um grande rei; por desprezar a deusa do amor, Hipólito amava intensamente todos os demais deuses; por cuidar em demasia dos bens do Estado, Creonte era um grande chefe. Todos iniciam sua trajetória, nas tragédias, no mais alto de sua glória.

Concluímos portanto que piedade e terror são a forma específica mínima pela qual se ligam espectador e personagem — mas de nenhuma maneira essas emoções são purificadas de si mesmas. Isto é, elas se purificam de algo que, no fim da tragédia, deixa de existir. De algo que o processo trágico expulsa.

Milton

"A tragédia purga a mente de piedade, medo, terror e paixões afins, reduzindo-as a uma justa medida suportável, através do prazer de ver essas mesmas emoções bem imitadas." Até aqui, Milton acrescenta muito pouco ao que já foi dito, mas em seguida diz coisa melhor: "Em medicina, coisas de uma qualidade melancólica são usadas contra a melancolia, o amargo serve para curar o amargo, e o sal para remover humores salgados". Em última análise, seria uma espécie de homeopatia: determinadas paixões ou emoções curando paixões e emoções análogas, mas não idênticas.

Além das contribuições específicas de Racine, Jacob Bernays e Milton, Butcher vai buscar na própria *Política* de Aristóteles a explicação da palavra "catarse", que não se encontra na *Poética*. Aí se *utiliza* "catarse" para denominar o efeito causado por certo tipo de música sobre certos pacientes possuídos por certo tipo de fervor religioso. O tratamento consistia em usar "o movimento para curar o movimento e suavizar a perturbação interior da mente através da música selvagem". Segundo Aristóteles, os pacientes submetidos a esse tratamento voltavam ao seu estado normal, como se tivessem sofrido um tratamento médico ou purgativo. Quer dizer: *catártico*!

Nesse exemplo verificamos que, por meios homeopáticos (música selvagem para curar ritmos interiores selvagens), o fervor religioso era curado por meio de um efeito exterior análogo. A cura se processava através desse estímulo. Vejam bem: como, na tragédia, a falha do personagem *é inicialmente apresentada como causa principal da sua felicidade, essa falha é logicamente estimulada.*

Butcher agrega que, segundo Hipócrates, *catarse* significaria a remoção de um elemento doloroso ou perturbador do organismo, purificando assim o que permanece, finalmente, livre da matéria estranha eliminada. Conclui Butcher que, aplicando-se essa mesma definição à tragédia, devemos chegar à conclusão de que a "piedade e o terror" na vida real contêm um elemento mórbido ou perturbador. Durante o processo de excitação trágica, esse elemento, seja qual for, é eliminado. "Enquanto avança a ação trágica, o tumulto da mente, inicialmente estimulado, começa a ceder, e as formas mais baixas de emoção se transformam gradualmente nas mais altas e refinadas."

Esse raciocínio é correto e podemos aceitá-lo quase que inteiramente, menos na sua insistência em querer atribuir impurezas às emoções de piedade ou terror. A *impureza* existe, não há dúvida, e será ela precisamente o objeto da purgação catártica na mente do espectador ou, como diria Aristóteles, na sua *alma*. Mas Aristóteles não afirma a existência de piedade pura ou impura, de terror puro ou impuro. A impureza é necessariamente algo distinto das emoções que vão permanecer. Esse corpo estranho será portanto *outra emoção ou paixão*, e não a mesma. Piedade ou terror jamais foram vícios ou debilidade ou erros, e portanto jamais necessitaram ser eliminados ou purgados. Ao contrário, na *Ética*, Aristóteles nos indica quantidades de vícios, erros e debilidades que merecem ser destruídos. A impureza que será purgada deve necessariamente estar entre estes. Deve ser algo que ameaça o indivíduo no seu equilíbrio e que, portanto, ameaça a sociedade. Algo que não é uma virtude, que não é a maior virtude, a Justiça, e tudo o que é injusto está previsto nas leis. A impureza que o processo trágico vai destruir é pois algo que atenta contra as leis.

Se voltamos um pouco atrás, poderemos compreender melhor agora o funcionamento da tragédia. Nossa última definição foi: "A tragédia imita as ações da alma racional do homem, suas paixões tornadas hábitos, em busca da felicidade, que consiste no comportamento virtuoso, cujo bem supremo é a Justiça, cuja expressão máxima é a Constituição".

Vimos também que a Natureza tem certos fins em vista e que, quando falha, a arte e a ciência intervêm para corrigir a Natureza.

Podemos agora concluir que, quando o homem falha nas suas ações, no seu comportamento virtuoso em busca da felicidade, através da virtude máxima que é a obediência às leis, a arte da tragédia intervém para corrigir essa falha. Como? Através da purificação, da catarse, da purgação do elemento estranho, indesejável, que faz com que o personagem não alcance os seus objetivos. Esse elemento estranho é contrário à lei, é uma falha social, uma carência política, uma transgressão.

Finalmente estamos preparados para entender o funcionamento do esquema trágico. Mas ainda nos faz falta um pequeno dicionário que simplifique certas palavras, esclarecendo claramente quais são os elementos que vamos agora juntar, para mostrar como funciona este sistema trágico de coerção.

III. PEQUENO DICIONÁRIO DE PALAVRAS SIMPLES

Herói trágico

Como explica Arnold Hauser, no começo, o teatro era o Coro, a massa, o povo. Esse era o verdadeiro protagonista. Quando Thespis *inventou* o protagonista, esse invento significou uma rebeldia, uma transgressão. Bem cedo, porém, esse invento foi neutralizado, e o que era improvisação livre passou a ser texto descrito e pré-censurado. O protagonista aristocratizou o teatro, que antes existia em suas formas populares de manifestações massivas, desfiles, festas etc. O diálogo Protagonista-Coro era claramente o reflexo do diálogo Aristocrata-

-Povo. O herói trágico, que passou depois a dialogar não só com o Coro mas também com seus semelhantes (deuteragonista e tritagonista), era apresentado sempre como um exemplo que devia ser seguido em certas características, mas não em outras. O herói trágico surge quando o Estado começa a utilizar o teatro para fins políticos de coerção do povo. Não podemos nos esquecer que o Estado, diretamente ou através de mecenas, pagava as produções.

Éthos

O personagem atua e a sua atuação apresenta dois aspectos: *éthos* e *dianoia*. Juntos, constituem a ação desenvolvida pelo personagem. São inseparáveis. Porém, para fins didáticos, poderíamos dizer que o *éthos* é a própria ação e a *dianoia*, a justificação dessa ação, o discurso. O *éthos* seria o próprio ato e a *dianoia*, o pensamento que determina o ato. Convém esclarecer que o discurso é, em si mesmo, ação, e que, por outro lado, não pode existir ação, por mais física e restrita que seja, que não suponha uma razão.

Podemos igualmente definir o *éthos* como o conjunto de faculdades, paixões e hábitos.

No *éthos* do herói trágico, todas as tendências devem ser boas, *menos uma*! Todas as paixões, todos os hábitos do herói trágico devem ser bons, *menos um*! Bons ou maus segundo que critérios? Segundo os critérios constitucionais, que são os que sistematizam as leis, isto é, segundo os critérios políticos, pois a Política é a arte soberana. Apenas uma tendência deverá ser má, reprovável, condenável. Somente uma paixão, um hábito, poderá estar contra a lei. Essa característica má chama-se *harmatia*.

Harmatia

É também conhecida como falha trágica. É a única impureza que existe no personagem. A *harmatia* é, portanto, a única coisa que pode e deve ser destruída, para que a totalidade do *éthos* do personagem se conforme com a totalidade do *éthos* da sociedade. Nesta confrontação de tendências, de *éthos* (social e individual), a *harmatia* é a causadora do conflito. É a única tendência que não se harmoniza com a sociedade, com o que quer a sociedade.

Empatia

Quando o espetáculo começa, se estabelece uma relação entre o personagem (especialmente o protagonista) e o espectador. Essa relação tem características bem definidas: o espectador assume uma atitude passiva e delega o poder de ação ao personagem. Como o personagem se parece com nós mesmos, como indica Aristóteles, nós vivemos, *vicariamente*, tudo o que vive o personagem. Sem agir, sentimos que estamos agindo; sem viver, sentimos que estamos vivendo. Amamos e odiamos quando odeia e ama o personagem.

A *empatia* não ocorre apenas em relação aos heróis trágicos: basta observar os espectadores infantis de uma série de bangue-bangue pela televisão, ou os olhares enternecidos dos espectadores mais adultos quando o casal se beija antes do *happy end*. Trata-se aí de pura empatia. A empatia nos faz sentir como se estivesse se passando com nós mesmos o que no palco ou na tela está se passando com os personagens. Torna nossos emoções e pensamentos alheios.

A *empatia* é uma relação emocional entre personagem e espectador. Uma relação que pode ser constituída, basicamente, de piedade e terror, como sugere Aristóteles, mas que pode igualmente incluir outras emoções, como também sugere o próprio Aristóteles, e que poderão ser o amor, a ternura, o desejo sexual (como no caso de muitos e muitas artistas de cinema em relação aos seus respectivos fã-clubes) etc.

A empatia opera fundamentalmente em relação ao que o personagem *faz*, à sua *ação*, ao seu *éthos*. Mas existe igualmente uma relação empática diano-ética: *dianoia* (personagem)-*razão* (espectador), que equivale à relação *éthos-emoção*. O *éthos* estimula a emoção, a *dianoia* estimula a razão.

Para a sequência do nosso raciocínio é preciso que fique claro que as emoções empáticas básicas de piedade e terror se estabelecem a partir de um *éthos* que revela tendências boas (piedade pela sua destruição) e uma tendência má, uma *harmatia* (terror, porque também nós a possuímos).

Estamos agora prontos para compreender o funcionamento do esquema trágico e a sua enorme importância política.

Como funciona o
Sistema Trágico Coercitivo de Aristóteles

Começa o espetáculo. Apresenta-se o herói trágico. O público estabelece com ele uma forma de empatia.

Começa a ação trágica. Surpreendentemente, o herói revela uma falha no seu comportamento, uma *harmatia* e, mais surpreendentemente ainda, revela-se que em virtude dessa *harmatia* o herói alcança a felicidade que agora ostenta.

Através da *empatia*, a mesma *harmatia* que o espectador possui é estimulada, desenvolvida, ativada.

Subitamente, acontece algo que tudo modifica. Édipo, por exemplo, é informado por Tirésias de que o assassino que ele procura é ele mesmo. O personagem que com sua *harmatia* havia subido tão alto, corre o risco de cair dessas alturas. Isto é o que a *Poética* qualifica de peripécia: uma modificação radical no destino do personagem. O espectador que até então teve a sua própria *harmatia* estimulada, começa a sentir crescer seu terror. O personagem inicia seu caminho para a desgraça. Creonte é informado da morte do seu filho e de sua mulher; Hipólito não consegue convencer seu pai de sua inocência, e este o impulsiona, sem querer, à morte.

A *peripécia* é importante porque faz com que seja mais longo o caminho da felicidade à desgraça. Quanto mais alto o coqueiro, maior é a queda, diz a canção popular. Mais impacto se cria por essa via.

A *peripécia* que sofre o personagem se reproduz igualmente no espectador. Porém poderá também ocorrer que o espectador acompanhe o personagem empaticamente até a *peripécia* e que se desligue do mesmo a partir daí. Para evitar que isso aconteça, o personagem trágico deve passar igualmente pelo que Aristóteles chama de *anagnorisis*, isto é, pela explicação, através do discurso, de sua falha e do *reconhecimento* dessa falha como tal. O herói aceita seu próprio erro, confessa seu erro, esperando que, *empaticamente*, o espectador também aceite como má sua própria *harmatia*. Mas o espectador tem a grande vantagem de que cometeu o erro somente de forma vicária: não tem que pagar por ele.

Finalmente, para que o espectador tenha presente as terríveis consequências de cometer o erro, não apenas vicária mas realmente, Aristóteles exige que a tragédia tenha um final terrível, ao que chama *catástrofe*. Não se permitem *happy endings*, embora não seja necessária a destruição física do personagem portador da *harmatia*. Alguns morrem, enquanto outros veem morrer seus seres queridos. De qualquer forma, se trata sempre de uma *catástrofe* em que não morrer é pior do que morrer (veja-se o caso de Édipo). Esses três elementos interdependentes têm por finalidade última provocar no espectador (tanto ou mais do que no personagem) a *catarse*. Quer dizer: a purificação da *harmatia* através de três etapas bem determinadas e claras:

Primeira etapa
Estímulo da *harmatia*; o personagem segue o caminho ascendente para a felicidade, acompanhado empaticamente pelo espectador.

Surge um ponto de reversão: o personagem e o espectador iniciam o caminho inverso da felicidade à desgraça. Queda do herói.

Segunda etapa
O personagem reconhece seu erro: *anagnorisis*. Através da relação empática *dianoia-razão*, o espectador reconhece seu próprio erro, sua própria *harmatia*, sua própria falha anticonstitucional.

Terceira etapa — catástrofe
O personagem sofre as consequências do seu erro, de forma violenta, com sua própria morte ou com a morte de seres que lhe são queridos.

Catarse
O espectador, aterrorizado pelo espetáculo da *catástrofe*, se purifica de sua *harmatia*.

O sistema coercitivo aristotélico pode ser mostrado no gráfico a seguir:

Sistema Trágico Coercitivo de Aristóteles

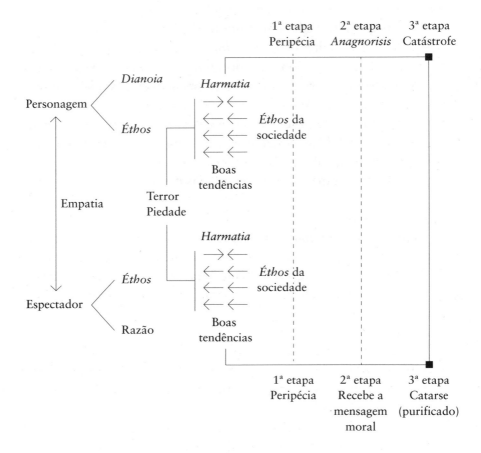

Atribui-se a Aristóteles a seguinte frase: *Amicus Plato, sed magis amicus veritas* ("Sou amigo de Platão, mas mais amigo da verdade"). Nisto estamos totalmente de acordo com Aristóteles: somos seus amigos, mas muito mais amigos da verdade. Ele nos diz que a poesia, a tragédia, o teatro, não têm nada que ver com a política. Mas a realidade nos diz outra coisa. Sua própria *Poética* nos diz outra coisa. Temos que ser muito mais amigos da verdade: todas as atividades do homem, incluindo-se evidentemente todas as artes, especialmente o teatro, são políticas. E o teatro é a forma artística mais perfeita de coerção. Que o diga Aristóteles.

IV. DISTINTOS TIPOS DE CONFLITO:
HARMATIA × *ÉTHOS* SOCIAL

Como vemos, no Sistema Trágico Coercitivo de Aristóteles é fundamental que:

a) Exista um conflito entre o *éthos* do personagem e o *éthos* da sociedade na qual vive o personagem (isto é: alguma coisa que não funciona, que não se harmoniza, que cria atritos);

b) Exista uma relação chamada *empatia* que consiste em permitir ao espectador que o personagem o conduza através de suas experiências — o espectador sente como se estivesse atuando ele mesmo, goza os prazeres e sofre as dores do personagem, ao extremo de pensar seus pensamentos;

c) O espectador sofre três acidentes de natureza violenta: peripécia, *anagnorisis* e catarse. Sofre um golpe em seu destino (a ação da peça). Reconhece o erro, vicariamente cometido, e se purifica da característica antissocial que reconhece possuir.

Esta é a essência do Sistema Trágico Coercitivo. No teatro grego, o sistema funciona como se demonstra no gráfico. Mas, em sua essência, o sistema continua sendo usado até os nossos dias, com modificações determinadas pelas novas sociedades. Analisemos algumas dessas modificações.

Primeiro tipo: harmatia × éthos social perfeito (tipo clássico)
É o caso mais clássico estudado por Aristóteles. Vejamos o exemplo de Édipo. O perfeito *éthos* social é apresentado através do Coro e de Tirésias no seu longo discurso. A colisão é frontal. Mesmo depois que Tirésias o informa de que o criminoso buscado é o próprio Édipo, este não o aceita e segue por si mesmo com a investigação. Édipo, o homem perfeito, o filho obediente, marido amantíssimo, pai exemplar, estadista sem igual, inteligente, belo e sensível, possui, não obstante, uma falha trágica: seu desmedido orgulho, sua soberba. Por isso, sobe ao cimo da glória e, por isso, é destruído. O equilíbrio se restabelece

com a catástrofe, com a visão aterradora de sua mãe-esposa enforcada e de seus próprios olhos vazados.

Segundo tipo: harmatia × éthos social perfeito × harmatia

A tragédia apresenta dois personagens que se encontram, dois heróis trágicos, cada um com sua falha, que se destroem mutuamente, diante de uma sociedade eticamente perfeita. É o caso típico de Antígona e Creonte: ambos excelentes pessoas, em tudo e por tudo, menos nas suas respectivas falhas. Nestes casos, o espectador deve necessariamente empatizar com ambos os personagens, e não com apenas um, já que o processo trágico deve purificá-lo de ambas *harmatias*. Um espectador que empatize apenas com Antígona poderá ser levado a pensar que Creonte possui a verdade, ou vice-versa. O espectador deve purificar-se do "excesso" seja qual for a sua direção: excesso de amor ao bem do Estado em detrimento da família ou excesso de amor à família em detrimento do bem do Estado.

Muitas vezes, quando a *anagnorisis* não é suficiente para convencer o espectador, o autor trágico utiliza diretamente o raciocínio do Coro, que é o possuidor do "sentido comum", da moderação e de outras qualidades.

Também neste caso a *catástrofe* é necessária para produzir, através do terror, a *catarse*, a purificação do mal.

Terceiro tipo: harmatia negativa × éthos social perfeito

Este tipo é completamente diferente dos outros dois já vistos. Aqui o *éthos* do personagem se apresenta em forma negativa, quer dizer, tem todas as tendências defeituosas e apenas uma virtude, e não, como preconizava Aristóteles, todas as virtudes e apenas um defeito ou falha, ou erro de julgamento. Justamente por possuir essa pequena e solitária virtude, o herói se salva e não se produz a *catástrofe*, ocorrendo, ao contrário, o *happy end*.

É importante notar que Aristóteles se pronunciava claramente contra o *happy end*, mas devemos notar igualmente que o caráter coercitivo de todo o sistema é a verdadeira essência de sua poética política; portanto, modicando-se uma característica tão importante como a composição do *éthos* do personagem, é inevitável que se modifique igualmente o mecanismo estrutural do final da peça, para que o efeito purgativo (que é o que importa) se mantenha inalterável.

Este tipo de *catarse* produzido por "*harmatia* negativa × *éthos* social perfeito" foi muito utilizado, especialmente na Idade Média. Talvez o mais conhecido drama medieval seja *Todomundo* (*Everyman*). Conta a história de um personagem chamado Todomundo que na hora da sua morte procura salvar-se. Dialoga com a Morte e com ela analisa todas as suas ações passadas; desfilam diante deles todos os personagens que acusam a Todomundo e revelam os pecados que ele havia cometido; os Bens Materiais, os Prazeres etc. são esses personagens. Todomundo finalmente compreende todos os pecados que cometeu, admite a ausência absoluta de qualquer virtude em todas as suas ações, mas ao mesmo tempo confia no perdão divino. Essa confiança é a sua única virtude. Essa confiança e o seu arrependimento o salvam para maior glória de Deus...

A *anagnorisis* (neste caso, o reconhecimento de todos os seus pecados) é praticamente acompanhada pelo nascimento de um novo personagem e este se salva. Na tragédia, os atos dos personagens podem ser perdoados, desde que ele se decida a mudar completamente de vida e transformar-se em um novo personagem.

A ideia de uma nova vida (e essa sim é a vida perdoável, já que o personagem pecador deixa de sê-lo) pode ser vista com muita nitidez em *O condenado por desconfiado*, de Tirso de Molina. O herói, Henrique, é tudo que se pode dizer de ruim de uma pessoa: bêbado, assassino, ladrão, rufião etc. Nenhuma falha, nenhum defeito, nenhum vício lhe é estranho. Pior que ele, nem o Diabo. Tem o *éthos* mais pervertido inventado pela dramaturgia universal. Ao seu lado, Paulo, o puro, incapaz de cometer o pecadilho mais perdoável, alma branca, insípida, ingrávida, a perfeição absoluta!

Mas algo estranho acontece com essa dupla, que fará com que seus destinos sejam exatamente o oposto do que se poderia pensar. Henrique, o mau, sabe que é mau e pecador, e em nenhum momento duvida que a Justiça Divina o fará arder nas chamas do lugar mais profundo e escuro do Inferno. Aceita a Sabedoria Divina e sua Justiça. Paulo, ao contrário, peca por querer manter-se puro. A cada momento se pergunta se Deus verdadeiramente prestará atenção à sua vida de sacrifícios e carências. Deseja ardentemente morrer e imediatamente transladar-se ao Céu para começar aí uma vida mais prazerosa.

Os dois morrem, e para surpresa de muitos o Ditado Divino é o seguinte: Henrique, apesar de todos os crimes, roubos, bebedeiras, traições etc., vai para o Céu, porque sua absoluta certeza em seu castigo honrava e glorificava a Deus, em quem confiava; Paulo, ao contrário, não acreditava verdadeiramente em Deus, pois que duvidava da sua salvação; portanto, vai para o Inferno com todas as suas virtudes...

Em linhas gerais, assim é a peça. Observada desde o ponto de vista de Henrique, trata-se nitidamente de um *éthos* totalmente mau, possuidor de uma só virtude. O efeito exemplar se obtém através do *happy end* e não através da *catástrofe*. Observada a ação desde o ponto de vista de Paulo, se trata do esquema aristotélico convencional, clássico. Nele, tudo eram virtudes, menos sua falha trágica — duvidar de Deus! Para ele, sim, existe *catástrofe*.

Quarto tipo: *harmatia negativa* × *éthos social negativo*

A palavra "negativo" é aqui utilizada no sentido de que se trata de um modelo exatamente oposto ao modelo original, dito "positivo" — não se refere a nenhuma qualidade moral. Como, por exemplo, numa fotografia negativa tudo o que é branco aparece negro e vice-versa.

Este tipo de conflito ético é a essência do "drama romântico" e tem em *A dama das camélias* o seu melhor exemplo. A *harmatia* do personagem protagônico, como no caso anterior, apresenta uma coleção impressionante de qualidades negativas: pecados, erros etc. O *éthos* social (isto é, as tendências morais, a ética) da sociedade, ao contrário do exemplo anterior (terceiro tipo), está aqui inteiramente de acordo com o personagem. Quer dizer: todos os seus vícios são totalmente aceitos e o personagem nada sofreria por possuí-los.

Vejamos *A dama das camélias*: em uma sociedade corrompida que aceita a prostituição, Margarida Gauthier é a melhor prostituta; o vício individual é defendido e exaltado pela sociedade viciosa. Sua profissão é perfeitamente aceitável, sua casa frequentada pelos melhores homens da sociedade, considerando-se que se trata de uma sociedade cujo principal valor é o dinheiro. Sua casa é frequentada por financistas... A vida de Margarida está cheia de felicidades! Mas — pobre! —

todas as suas falhas são aceitáveis, mas não sua única virtude! Margarida se apaixona. Isto é: ama verdadeiramente. Ah, isso nunca, isso a sociedade não pode permitir! É uma falha trágica! Isso tem que ser castigado!

Aqui, do ponto de vista ético, se estabelece uma espécie de triângulo. Até agora analisamos conflitos éticos nos quais a *ética social* era a mesma para os personagens e para os espectadores; agora, se apresenta uma dicotomia. O autor deseja mostrar uma ética social aceita por seus integrantes, mas ele mesmo, o autor, não participa dessa ética e propõe outra. O universo da peça é um, e o nosso universo, ou ao menos nossa posição momentânea durante o espetáculo, é outra. Alexandre Dumas diz: esta sociedade é assim e é má; mas nós não somos assim, ou não o somos no mais íntimo do nosso ser. Portanto, Margarida tem todas as virtudes que a sociedade crê que são virtudes; uma prostituta deve exercer com dignidade e eficiência sua profissão de prostituta. Mas Margarida tem uma falha que a impede de exercer bem a sua profissão: se apaixona. Pergunta: como pode uma mulher apaixonada por um homem servir com igual fidelidade e eficiência a todos os homens? (Todos os que possam pagar.) Não é possível. Portanto, amar é, em uma prostituta, não uma virtude, mas, ao contrário, um vício.

Nós, porém, espectadores, que não pertencemos ao universo da obra, podemos dizer exatamente o contrário: a sociedade que permite e estimula a prostituição é uma sociedade que deve ser transformada, uma sociedade cheia de vícios. Assim se estabelece o triângulo: para nós, amar é uma virtude, mas para o universo da obra é um vício. E Margarida Gauthier é destruída precisamente por esse vício (virtude!).

Também nesse gênero de drama romântico a catástrofe é inevitável. E o autor romântico espera que o espectador seja purificado não da falha trágica do herói, mas sim de todo o *éthos* da sociedade.

Outro drama romântico, muito mais moderno, apresenta o mesmo esquema aristotélico modificado: *O inimigo do povo*, de Ibsen. Também aí o dr. Stockmann apresenta um *éthos* perfeitamente idêntico à sociedade na qual vive, sociedade baseada no lucro, no dinheiro; mas apresenta igualmente uma falha: é honesto! Isso a sociedade não pode suportar, nem pode tolerar! O tremendo impacto que essa peça costuma ter baseia-se justamente no fato de que Ibsen demonstra (de-

Distintos tipos de conflito: *harmatia* × *éthos* social

sejando-o ou não) a impossibilidade em que se encontra a sociedade baseada no lucro em apregoar uma "moral elevada". O capitalismo é essencialmente imoral porque a busca do lucro, que é sua essência, é incompatível com a moral que apregoa: valores superiores, justiça, solidariedade etc.

O dr. Stockmann é destruído (isto é, perde seus postos na sociedade e o mesmo ocorre com sua filha Petra, que perde sua integração numa sociedade competitiva), justamente por sua virtude fundamental que é, aqui, considerada vício, erro ou falha trágica.

Quinto tipo: éthos individual anacrônico × éthos social contemporâneo

É o caso típico de Dom Quixote: seu *éthos* social está perfeitamente sincronizado com o *éthos* de uma sociedade que já não existe... Essa sociedade passada, já inexistente, entra em confrontação com a sociedade contemporânea, e todos os conflitos são inevitáveis. O *éthos anacrônico* de Dom Quixote, cavaleiro andante, fidalgo espanhol, senhorial, não pode viver pacificamente em uma época em que se desenvolve a burguesia, que modifica todos os valores; a burguesia, para quem todas as coisas se transformam em dinheiro e o dinheiro se transforma em todas as coisas.

Uma variante de *éthos* anacrônico é a do *éthos* diacrônico: o personagem vive em um mundo moral, apregoado por uma sociedade que, não obstante, não aceita na prática os valores que afirma possuir. Em minha peça *José, do parto à sepultura*, o personagem José da Silva encarna todos os valores que a burguesia diz serem os seus, e sua desgraça advém justamente porque crê nesses valores e por reger sua vida por eles: o *self-made man*, o trabalhar mais do que se tem a obrigação de trabalhar, a dedicação aos patrões, não criar problemas de tipo trabalhista etc., etc. Em resumo: um personagem que se comporta em obediência às *Leis do triunfo*, de Napoleon Hill, ou *Como fazer amigos e influenciar pessoas*, de Dale Carnegie! Essa é a sua tragédia! E que tragédia!...

V. CONCLUSÃO

O Sistema Trágico Coercitivo de Aristóteles sobrevive até hoje graças à sua imensa eficácia. É efetivamente um poderoso sistema intimidatório. A estrutura do Sistema pode variar de mil formas, fazendo com que seja às vezes difícil descobrir todos os elementos de sua estrutura, mas o Sistema estará aí, realizando sua tarefa básica: a purgação de todos os elementos antissociais. Justamente por essa razão, o Sistema não pode ser utilizado por grupos revolucionários *durante* os períodos revolucionários. Quer dizer: enquanto o *éthos* social não está claramente definido, não se pode usar o esquema trágico pela simples razão de que o *éthos* do personagem não encontrará um *éthos* social claro a enfrentar.

O Sistema Trágico Coercitivo pode ser usado antes ou depois da Revolução: mas não durante...

Na verdade, só sociedades mais ou menos estáveis, eticamente definidas, podem apresentar uma tábua de valores que torne possível o funcionamento do Sistema. Durante uma revolução cultural, em que todos os valores estão sendo questionados ou formados, o Sistema não pode ser aplicado. Vale dizer que o Sistema, enquanto estrutura certos elementos que produzem um determinado efeito, pode ser utilizado por qualquer sociedade sempre e quando possua um *éthos* social definido. Para o seu funcionamento, tecnicamente não importa que a sociedade seja feudal, capitalista ou socialista. Importa que tenha um universo de valores definidos e aceitos.

Por outro lado, costuma acontecer que, muitas vezes, se torna difícil compreender o funcionamento do Sistema devido à adoção de uma perspectiva falsa. Por exemplo: as histórias de cinema do gênero faroeste são perfeitamente aristotélicas, pelo menos todas as que já vi... Mas, para analisá-las, é necessário colocar-se na perspectiva do bandido e não na do mocinho; do mau, e não na do bom.

Vejamos: uma história de faroeste começa com a apresentação de um bandido (vilão, ladrão de cavalos, assassino, ou o que seja), que, justamente por seu vício ou falha trágica, por sua *harmatia*, é o chefe incontestado, o homem mais rico, ou o mais temível do bairro ou da cidade. Faz todo o mal que pode e nós, na plateia, *empatizamos* com ele e, vicariamente, fazemos o mesmo mal: matamos, roubamos cavalos e galinhas, violamos jovens heroínas etc. Até que, depois de estimulada nossa própria *harmatia*, vem a peripécia: o herói toma a dianteira na luta corporal ou através de intermináveis tiroteios restabelece a ordem (*éthos* social), a moral e as relações comerciais honestas, depois de destruir (catástrofe) o mau cidadão. Aqui, o que se deixa de lado é a *anagnorisis* e ao vilão se permite morrer sem necessariamente arrepender-se: afinal, matam-no a tiros e o enterram com grandes festas folclóricas de *square dance...*

Nós nos recordamos sempre — não é verdade? — de quantas vezes nossa simpatia (*empatia*, de certa forma) estava mais com o bandido que com o mocinho. O faroeste, como os jogos infantis, serve aristotelicamente para purgar todas as tendências agressivas do espectador. A sua insistência, porém, à repetição constante com que o espectador vê filmes desse mesmo tipo pode e tem produzido o efeito contrário. O comportamento do bandido se "cola" ao espectador, que passa a agir e a se comportar, na vida real, como o personagem no filme.

Esse Sistema funciona para diminuir, aplacar, satisfazer e eliminar tudo que possa romper o equilíbrio social; tudo, inclusive os impulsos revolucionários, transformadores.

Que não reste nenhuma dúvida: Aristóteles formulou um poderosíssimo sistema purgatório, cuja finalidade é eliminar tudo que não seja comumente aceito, legalmente aceito, inclusive a revolução, antes que aconteça... O seu Sistema aparece dissimulado na TV, no cinema, nos circos e nos teatros. Aparece em formas e meios múltiplos e variados. Mas a sua essência não se modifica. Trata-se de frear o indivíduo, de adaptá-lo ao que preexiste. Se é isso o que queremos, esse sistema serve melhor que nenhum outro. Se, pelo contrário, queremos estimular o espectador a que transforme sua sociedade, se queremos estimulá-lo a fazer a revolução, nesse caso teremos que buscar outra Poética.

VI. NOTAS

1. As características do personagem se relacionam com o desenlace. Um personagem totalmente bom que termina em um final feliz não inspira nem terror nem piedade, não cria uma dinâmica: o espectador o observa e o seu destino é ilustrado pelas suas ações, mas não se cria nenhuma teatralidade.

Um personagem totalmente mau que termina em catástrofe tampouco inspira piedade, que é parte necessária ao mecanismo da *empatia*.

Um personagem totalmente bom que termina em catástrofe tampouco é exemplar, e, pelo contrário, viola o sentido de justiça. É o caso de Dom Quixote que, do ponto de vista da ética da Cavalaria, é totalmente bom e, não obstante, sofre uma catástrofe que funciona "exemplarmente"... Pode-se dizer que ele é totalmente bom, mas que possui uma moral anacrônica que é, em si mesma, uma falha trágica. Essa é a sua *harmatia*.

Um personagem totalmente mau, que termina em final feliz, seria justamente o oposto do que persegue a tragédia grega e estimularia o mau, e não o seu aperfeiçoamento.

Portanto, teremos que concluir que as únicas possibilidades são:

a) Personagem com uma falha terminando em catástrofe;

b) Personagem com uma virtude, terminando em final feliz;

c) Personagem com uma virtude, insuficiente, terminando em catástrofe.

2. Para Platão, a realidade é como se um homem estivesse preso em uma cela com uma única janela, lá no alto: esse homem poderia distinguir apenas sombras da verdadeira realidade. Por isso, Platão ficava contra os artistas: estes seriam como prisioneiros que em suas celas pintariam as sombras que eles confundiriam com a realidade. Cópias de cópias, dupla corrupção.

3. A *anagnorisis* é um elemento fundamental e importantíssimo do Sistema. Pode ser o reconhecimento feito pelo próprio personagem que assim, *empaticamente*, se transfere ao espectador. Mas se não o faz o personagem com o qual existe uma ligação empática, deve ser feita por qualquer outro, pelo Coro inclusive. É arriscado não fazer *anagnorisis*, ou fazê-la mal, ou insuficientemente. É necessário recordar que o espectador tem inicialmente estimulada sua própria falha e, ao não produzir-se a compreensão de que se trata de uma falha, isso aumentará o seu poder destruidor.

Pode acontecer igualmente que o espectador siga empaticamente o personagem até que comece a peripécia e que o abandone a partir de então. Aí está o perigo e aí o Sistema pode funcionar ao contrário!

Igualmente, a não destruição da *harmatia* (final feliz) pode estimular o espectador à prática do vício: se o personagem fez o que fez e não teve maiores consequências, "a mim tampouco me acontecerá nada". Isso também o liberará e o estimulará a praticar o mal.

4. Devir e não ser. O pensamento fundamental de Aristóteles era o devir e não o Ser (devir = tornar-se). Para ele, *devir* significava não a aparição e a desaparição fortuita, mas sim o desenvolvimento daquilo que já está em gérmen. A coisa individual, completa, não é uma *aparência*, mas sim uma realidade própria, embrionária, existente.

5. Para Aristóteles, o prazer estético era dado pela unidade da matéria com uma forma que, no mundo real, lhe era estranha. Essa unidade de matéria com uma forma (estranha) produz o prazer estético. Por exemplo: expressar alegria não como na vida real mas em redondilha. É assim que surge o prazer estético. Aristóteles insiste igualmente em que as *belas artes imitam os homens em ação*. O conceito é amplo e inclui tudo o que constitui a atividade interior e essencial, tudo o que expressa a vida mental, ou que revela a personalidade da alma. O mundo exterior pode igualmente ser incluído, mas tão somente na medida em que sirva para expressar a ação interior.

Pode-se ser feliz enquanto se vive? Para Aristóteles, sim, já que ser feliz é viver virtuosamente. Um homem virtuoso pode ser um desgraçado, mas nunca um infeliz. Aristóteles acrescenta igualmente que para ser feliz é necessário um mínimo de condições objetivas, já que a felicidade não é uma disposição moral; ao contrário, se baseia em fatos e atos efetivamente praticados.

Nisso, estamos de acordo...

Buenos Aires, junho de 1973

Maquiavel e a Poética da *Virtù*[1]

I. A ABSTRAÇÃO MEDIEVAL

Segundo Aristóteles, Hegel ou Marx, a arte, em qualquer das suas modalidades, gêneros ou estilos, constitui sempre uma forma sensorial de transmitir determinados conhecimentos, subjetivos ou objetivos, individuais ou sociais, particulares ou gerais, abstratos ou concretos, super ou infraestruturais. Esses conhecimentos, acrescenta Marx, são revelados de acordo com a perspectiva do artista e do setor social no qual está radicado e que o patrocina, paga e consome a sua obra. Sobretudo daquele setor da sociedade que detém o poder econômico, e com ele controla os demais poderes, estabelecendo as diretrizes de toda criação, seja artística, científica, filosófica ou outra. A esse setor, evidentemente, interessa transmitir aquele conhecimento que o ajude a manter o poder, se é que já o detém de forma absoluta, ou que o aju-

---

[1] Este ensaio foi escrito em 1962. Destinava-se a apresentar o espetáculo de *A mandrágora*, comédia de Maquiavel, montada pelo Teatro de Arena de São Paulo, em 1962-63, e dirigida por mim.

Para este livro, pensei inicialmente em suprimir o capítulo III, que trata mais especificamente da peça e de seus personagens. Pareceu-me, no entanto, que essa supressão faria perder-se o fio da meada. Pretendi também acrescentar alguns capítulos novos, especialmente sobre as metamorfoses do Diabo, mas temi a hipertrofia de alguns aspectos sobre o esquema geral como um todo. Devo esclarecer que este ensaio não pretende estudar exaustivamente as profundas transformações por que passou o teatro sob o comando burguês. Pretende apenas tentar a esquematização dessas transformações. Todo esquema é insuficiente — conheci esse perigo antes e depois de empreender a tarefa. — (São Paulo, março de 1966)

de a conquistá-lo, caso contrário. Isso não impede, porém, que outros setores ou classes patrocinem também a sua própria arte, que venha a traduzir os conhecimentos que lhe são necessários e que, ao fazê-lo, utilize a sua própria perspectiva. A arte dominante, no entanto, será sempre a da classe dominante, eis que esta é a única possuidora dos meios de difundi-la preponderantemente.

O teatro, de um modo particular, é determinado pela sociedade muito mais severamente que as demais artes, dado o seu contato imediato com a plateia e o seu maior poder de convencimento. Essa determinação atinge tanto a apresentação exterior do espetáculo quanto o próprio conteúdo de ideia do texto escrito.

No primeiro caso, basta lembrar as enormes diferenças entre, por exemplo, a técnica formal de um Shakespeare e a de Sheridan, a violência do primeiro e a delicadeza do segundo, os duelos, os motins, as feiticeiras e os fantasmas, de um lado, e, de outro, as pequeninas intrigas, os subentendidos, a complexidade estrutural dos pequenos subenredos. Sheridan não seria eficaz se tivesse que enfrentar a violenta e tumultuosa plateia isabelina, da mesma maneira que Shakespeare seria considerado, pelos espectadores do Drury Lane, na segunda metade do século XVIII, um selvagem trucidador de personagens.

Quanto ao conteúdo, os exemplos que podem ser citados não são assim tão óbvios, embora a influência social possa ser verificada, sem grande esforço de inteligência, tanto nos atuais cartazes do teatro brasileiro como na dramaturgia grega.

Arnold Hauser, no seu livro *História social da literatura e da arte*, analisando a função social da tragédia grega, escreve que os "aspectos externos do espetáculo para as massas eram indubitavelmente democráticos, porém o conteúdo das tragédias revelava-se aristocrático. Fazia-se a exaltação do indivíduo excepcional, distinto de todos os demais mortais, isto é, do aristocrata. O único progresso da democracia ateniense foi o de substituir gradativamente a aristocracia do sangue pela do dinheiro. Atenas era uma democracia imperialista e as guerras traziam benefícios apenas para a parte dominante da sociedade. O Estado e os homens ricos pagavam a produção dos espetáculos, de modo que não permitiriam nunca a encenação de peças cujo conteúdo fosse contrário ao que julgavam conveniente".

Na Idade Média, o controle sobre a produção teatral, exercido pelo clero e pela nobreza, era ainda mais eficaz, e as relações entre o feudalismo e a arte medieval podem ser facilmente contadas através do estabelecimento de um tipo ideal de arte, que, é claro, não tem a necessidade de explicar todos os casos particulares, embora muitas vezes se encontrem exemplos perfeitos.

A quase autossuficiência de cada feudo, o sistema social de estamentos rigidamente estratificados, a pouca importância e a quase ausência do comércio deveriam produzir uma arte na qual, diz Hauser, "não existia qualquer compreensão do valor do que é novo e, ao contrário, procurava preservar o velho e o tradicional. Faltava à Idade Média a ideia de competição que só é trazida pelo individualismo".

A arte feudal procurava atingir os mesmos objetivos do clero e da nobreza: imobilizar a sociedade, perpetuando o sistema vigente. A sua característica principal era a despersonalização, a desindividualização, a abstração. "A arte cumpria uma missão coercitiva e autoritária, incutindo no povo, solenemente, uma atitude de respeito religioso pela sociedade tal qual ela era. Apresentava um mundo estático, estereotipado, em que tudo era genérico, homogêneo. O transcendental tornou-se muito mais importante, e os fenômenos individuais e concretos não tinham qualquer valor intrínseco, valendo exclusivamente como símbolos e sinais" (Hauser).

A própria Igreja simplesmente tolerava e, mais tarde, utilizava a arte como um mero veículo das suas ideias, dogmas, preceitos, mandamentos e decisões. Os meios artísticos significavam uma concessão que o clero fazia às massas ignorantes, incapazes de ler e de seguir um raciocínio abstrato, e que podiam ser atingidas exclusivamente através dos sentidos.

A identidade que se procurava impingir entre os nobres e as figuras sagradas era marcante, na tentativa de se estabelecer uma inquebrantável aliança entre os senhores feudais e a divindade. Por exemplo: a apresentação das figuras de santos e nobres, especialmente na arte românica, era sempre frontal, e nunca essas personagens podiam ser pintadas trabalhando, mas sempre em ociosidade, característica do senhor poderoso. Jesus era pintado como se fosse um nobre e o nobre como se fosse Jesus. Infelizmente, Jesus foi crucificado, vindo a morrer

A abstração medieval

depois de intensos padecimentos de ordem física: e aqui a identificação não mais interessava à nobreza. Portanto, mesmo nas cenas de sofrimento mais intenso, Jesus, São Sebastião e outros mártires não mostravam no rosto qualquer sinal de dor e, pelo contrário, contemplavam o Céu com extrema bem-aventurança. Os quadros em que Jesus aparece crucificado dão a ideia de que ele está apenas apoiado num pequeno pedestal e de lá contempla a felicidade causada pela perspectiva de voltar proximamente ao doce convívio do Pai Celestial.

Não é fortuitamente que o principal tema da pintura românica tenha sido o Juízo Final. Esse tema é, realmente, o mais capaz de intimidar os pobres mortais, mostrando-lhes terríveis castigos e eternos prazeres espirituais, à sua escolha. Serve ainda para lembrar aos fiéis que os seus sofrimentos terrenos nada mais são do que um substancial acervo de boas ações que serão lançadas a seu crédito no livro-caixa de São Pedro, que fecha a conta individual de cada um de nós, no momento da nossa morte, verificando nosso saldo ou déficit. Esse livro de deve-haver é, no entanto, uma invenção renascentista que ainda hoje opera verdadeiros milagres, fazendo sorridentes e felizes os sofredores que têm suficiente fé no Paraíso.

Tanto quanto a pintura, o teatro revelou também uma tendência abstratizante, quanto à forma, e doutrinante, quanto ao conteúdo. Costuma-se frequentemente dizer que o teatro medieval era não aristotélico. Quando se faz tal afirmação, acreditamos, é porque se tem em mente o aspecto menos importante da *Poética*, isto é, a infelizmente célebre lei das três unidades. Essa lei não tem qualquer validade como tal, e nem sequer os trágicos gregos a obedeciam rigorosamente. Não passa de uma simples sugestão, dada de forma quase acidental e incompleta. A *Poética* de Aristóteles é, acima de tudo, um perfeito dispositivo para o funcionamento social exemplar do teatro. É um instrumento eficaz para a *correção dos homens capazes de modificar a sociedade*. É sob esse aspecto social que a *Poética* deve ser encarada, e somente aqui reside a sua importância fundamental. Na tragédia, o importante era a sua função catártica, a sua função purificadora das *harmatias* sociais do cidadão. Todas as teorias de Aristóteles se completam num todo harmônico que demonstra a maneira correta de purificar a plateia de todas as ideias ou tendências modificadoras da sociedade. Nesse sentido, o teatro medieval era aristotélico, embora não se utilizasse dos mesmos recursos formais sugeridos pelo teórico grego.

Os personagens tipicamente feudais não eram seres humanos, mas abstrações de valores morais, religiosos etc., não existindo no mundo real e concreto. Os mais típicos chamavam-se Luxúria, Pecado, Virtude, Anjo, Diabo etc. Não eram personagens-sujeitos da ação dramática, mas simples objetos, porta-vozes dos valores que simbolizavam. O Diabo, por exemplo, não tinha qualquer livre-iniciativa: apenas cumpria a sua tarefa de tentar os homens, dizendo as falas que essa abstração necessariamente diria em tais ocasiões. Assim, o Anjo, a Luxúria e todos os demais. Personagens que simbolizavam o bem e o mal, o certo e o errado, o justo e o injusto, o recomendável e o condenável — evidentemente segundo a perspectiva da nobreza e do clero que patrocinavam essa arte. As peças feudais tinham sempre um caráter moralizante e exemplar: os bons eram recompensados e os maus, punidos.

Podiam, esquematicamente, ser divididas em dois grupos: peças do pecado e peças da virtude.

Entre as peças de virtude podemos lembrar a *Representação e festa de Abraão e Isaac, seu filho* de Feo Belcari, quase contemporâneo de Maquiavel. Conta a história deste fiel servo de Deus, sempre pronto a obedecer, mesmo sendo a ordem superior incompreensível e injusta (da mesma maneira, todo vassalo devia obedecer seu suserano, sem indagar da justeza das suas resoluções). Abraão, bom vassalo, estava sempre disposto a cumprir as ordens emanadas do Céu. A peça narra o seu cumprimento do dever e, depois, a intervenção *hitchcockiana* de um Anjo que surge em cena no momento exato em que Abraão baixava a espada sobre o tenro e inocente pescoço do filho, cumprindo assim o seu sagrado dever. O Anjo regozija-se com o pai e o filho, elogiando a servil conduta de ambos e revelando o enorme lucro que terão por obedecerem tão cegamente à vontade de Deus, o suserano supremo: como recompensa, o Senhor abrir-lhes-á as portas dos seus inimigos. É de supor-se que os seus inimigos não fossem tão bons vassalos como eram eles...

Entre as peças do pecado, deve ser citada uma também bastante tardia, de autor anônimo inglês: *Todomundo*. Conta a história de Todomundo na hora da morte e indica a maneira certa de se proceder a fim de se ganhar a absolvição nessa hora extrema, por maiores que tenham sido os pecados anteriormente cometidos. Isso se faz através de um bom arrependimento, de uma boa penitência e, é claro, do aparecimento providencial do Anjo portador do perdão e da moral da história. Embora os Anjos não tenham sido vistos ultimamente com muita frequência aqui na Terra, essa peça continua sendo representada com bastante sucesso e ainda infunde um certo temor.

Não é de estranhar que os dois exemplos citados, talvez os mais típicos da dramaturgia feudal, tenham sido escritos quando a burguesia já estava bastante desenvolvida e forte: os conteúdos se aclaram à medida em que se aguçam as contradições sociais. Também não é de estranhar que o teatro mais tipicamente burguês esteja ainda agora sendo escrito...

As peças demasiadamente dirigidas para um só objeto correm o risco de contrariar um princípio fundamental do teatro, que é o conflito, ou a contradição, ou qualquer tipo de choque ou combate.

Como foi possível ao teatro feudal resolver esse problema? Pondo em cena os adversários, porém apresentando-os de tal forma e manipulando o enredo de tal maneira que o desenlace pudesse ser previamente determinado. Em outras palavras: adotando um estilo narrativo e, colocando a ação no passado, evitando-se a dramaticidade e a apresentação direta e presente dos personagens em choque. Karl Vossler (em *Formas poéticas dos povos românicos*)[2] observa curiosamente que não conhece um só drama medieval em que o Diabo seja "concebido e apresentado como um digno adversário de Deus; ele é fundamentalmente o vencido, o subordinado". Embora poderoso, foge a qualquer sinal da cruz. Seu papel é frequentemente secundário e muitas vezes cômico. Ainda hoje se costuma fazer o Diabo falar língua estrangeira, como acontece com certas peças gaúchas nas quais ele fala espanhol, obtendo-se com esse recurso um efeito ridicularizante, ao mesmo tempo em que se enfraquece uma das partes em litígio.

---

[2] Karl Vossler (1872-1949) foi um linguista e romanista alemão, professor nas universidades de Heidelberg, Wurzburg e Munique, e tradutor das obras do crítico italiano Benedetto Croce para o alemão. Boal cita provavelmente a edição argentina, *Formas poéticas de los pueblos románicos* (Buenos Aires, Losada, 1960). (N. da E.)

Infelizmente, para a nobreza feudal, nada estaciona neste mundo, inclusive os sistemas políticos e sociais que surgem, desenvolvem-se e dão lugar a outros que virão a sofrer igual destino. E com a burguesia nascente surgiu um novo tipo de arte, uma nova poética, através da qual começaram a ser traduzidos novos conhecimentos, adquiridos e transmitidos de acordo com uma nova perspectiva. Maquiavel é uma das testemunhas dessas transformações sociais e artísticas. Maquiavel é iniciador da Poética da *Virtù*.

II. A CONCREÇÃO BURGUESA

Com o desenvolvimento do comércio, já mesmo a partir do século XI, a vida começou a transferir-se do campo para as recém-fundadas cidades, onde se construíram entrepostos e se estabeleceram bancos, onde se organizou a contabilidade mercantil e centralizou-se o comércio. A lentidão da Idade Média foi substituída pela rapidez renascentista. Essa rapidez devia-se ao fato, observa Alfred von Martin (*Sociologia do Renascimento*),[3] de que cada um começava a construir para si próprio e não para a glória do Deus eterno que, de tão eterno que era, não carecia ter pressa em receber as provas de amor dadas pelos seus tementes e fiéis. "Na Idade Média podia-se trabalhar na construção de uma Igreja ou castelo durante séculos, pois que se construía para a comunidade e para Deus. A partir do Renascimento, começou-se a construir para os próprios homens perecíveis, e ninguém podia esperar tanto tempo."

A ordenação metódica da vida e de todas as atividades humanas passou a ser um dos principais valores trazidos pela burguesia em formação. "Gastar menos do que se ganha, economizar forças e o dinhei-

---

[3] Alfred von Martin (1882-1979) foi um sociólogo e historiador alemão, professor nas universidades de Munique e Göttingen. Boal cita provavelmente a edição mexicana, *Sociologia del Renacimiento* (México, Fondo de Cultura Económica, 1946). (N. da E.)

ro, administrar economicamente tanto o corpo como a mente, ser trabalhador em contraposição à ociosidade senhoril medieval, estes passaram a ser os meios de que dispunha cada indivíduo empreendedor para elevar-se socialmente e prosperar." A burguesia nascente encorajou o desenvolvimento da ciência por ser ela necessária ao seu objetivo de promover um aumento de produção que viesse a facilitar maiores lucros e acumulação de capital. Era tão necessário descobrir novos caminhos para as Índias como descobrir novas técnicas de produção, novas máquinas, que melhor fizessem render a força de trabalho que o burguês alugava.

A própria guerra passou a ser travada de uma maneira muito mais técnica do que antes, principalmente por causa das novas armas de fogo, aperfeiçoadas e usadas mais fartamente. Os ideais da cavalaria deveriam necessariamente desaparecer: dezenas de valorosos Cids Campeadores poderiam ser eliminados com a bala de um só canhão, disparado pelo mais tímido e covarde dos soldados.

Nessa nova sociedade contabilizada, escreve von Martin, "o valor e a capacidade individual de cada homem tornaram-se mais importantes do que o estamento do qual tivessem nascido, e até mesmo Deus transformou-se no juiz supremo dos câmbios financeiros, o invisível organizador do mundo, sendo o mundo considerado como uma grande empresa mercantil". Com Deus travaram-se relações de conta-corrente, prática que ainda hoje corresponde às boas ações do catolicismo.

A própria esmola é o modo contratual de assegurar a ajuda divina. "A bondade cedeu lugar à caridade." Esse novo Deus Proprietário, o Deus Burguês, exigia uma urgente reformulação religiosa, que não tardou a vir na fórmula do protestantismo. Dizia Lutero que a prosperidade nada mais era do que a recompensa dada por Deus à boa direção dos negócios, à boa administração dos bens materiais. E, para Calvino, não existia maneira mais segura de se verificar, ainda em vida, quais os eleitos de Deus senão enriquecendo aqui na terra: se Deus estivesse contra determinado indivíduo, certamente dispunha de poder bastante para evitar que ele enriquecesse. Se enriquecia, certamente Deus estava do seu lado. O capital acumulado passou quase que a denotar a graça divina. Os pobres, os trabalhadores braçais, os operários e camponeses, nada mais eram que uma legião de não eleitos, que não podiam enriquecer porque Deus estava contra eles, ou pelo menos não os ajudava. Em *A mandrágora*, comédia de Maquiavel, frei Timóteo utilizava a Bíblia de uma maneira tipicamente renascentista, mostrando que o livro sagrado tinha perdido a sua função normativa do comportamento dos homens, para se transformar num santo repositório de textos, fatos e versículos que, interpretados isoladamente, poderiam justificar, *a posteriori*, qualquer atitude do clero, dos homens, qualquer pensamento, qualquer ato, por menos santo que fosse. E o papa Leão X, quando a peça foi representada pela primeira vez, não só a aprovou, mas deu-se por muito satisfeito com o fato de ter Maquiavel exposto, com tão extraordinária precisão e arte, a nova mentalidade religiosa e os novos princípios da Igreja.

O burguês, apesar de todas essas transformações sociais, tinha ainda uma grande desvantagem em relação ao senhor feudal: enquanto este podia afirmar que o seu poder emanava de um contrato efetivamente realizado, em tempos imemoriais, no qual Deus, ele próprio, outorgara-lhe o direito à posse da terra, fizera dele o seu representante na terra, o burguês nada mais poderia alegar em sua própria defesa e proveito, a não ser a sua própria condição de homem empreendedor, o seu próprio valor e capacidade individuais.

O seu berço não lhe dava privilégios especiais. E, se ele os possuía, é porque os tinha conseguido com dinheiro, com sua livre-iniciativa, seu trabalho e a sua capacidade fria e racional de metodizar a vida. O poder burguês repousava, portanto, no valor individual do homem vivo e concreto, existente no mundo real. O burguês nada devia ao seu destino ou à sua boa fortuna, mas tão somente à sua própria *virtù*. Com sua *virtù*, afastara todos os obstáculos que lhe antepunham o nascimento, as leis do sistema feudal, a tradição, a religião. *A sua virtù era a sua primeira lei.*

Porém, o burguês virtuoso, que negava todas as tradições e renegava o passado, que outros padrões de comportamento poderia eleger senão unicamente os da própria realidade? O certo e o errado, o bem e o mal, tudo isso só se pode saber com o referendo da prática. Como também nenhuma lei ou tradição, mas apenas o mundo material e concreto poderia lhe fornecer os caminhos seguros para chegar ao poder.

A concreção burguesa

"Os homens são como são e não como deveriam ser" — essa frase de Maquiavel poderia ser endossada por qualquer burguês. *A práxis foi a segunda lei da burguesia.*

A *virtù* e a *práxis* foram e são os dois fundamentos burgueses, suas duas características principais. Evidentemente, não se pode inferir daí que só quem não era nobre podia possuir *virtù* ou confiar na *práxis*, e muito menos que todo burguês devia necessariamente possuir essa qualidade, sob pena de deixar de ser burguês. O próprio Maquiavel censurava a burguesia de seu tempo, acusando-a de namorar as tradições do passado, de sonhar demasiado com as neves românticas da nobreza feudal, enfraquecendo-se com isso e deixando de, mais rapidamente, consolidar suas posições e criar seus próprios novos valores. Essa nova sociedade deveria necessariamente produzir um novo e radicalmente diferente tipo de arte. A nova classe não poderia jamais utilizar as abstrações artísticas existentes, mas, ao contrário, devia voltar-se para a realidade concreta e nela procurar suas formas de arte. Não podia tolerar que os personagens continuassem sendo os mesmos valores oriundos do feudalismo. Precisava criar, no palco e nos quadros, homens vivos de carne e osso, especialmente o homem virtuoso.

Em pintura, basta folhear qualquer livro de história das artes plásticas para se dar conta do que aconteceu. Surgiram, nas telas, indivíduos rodeados de paisagens verdadeiras. Mesmo no estilo gótico os rostos começaram já a se individualizar. "A arte burguesa era, sob todos os aspectos, uma arte popular, tanto porque se afastava das tradicionais relações com a Igreja, como porque começava a apresentar figuras familiares. Um dos fenômenos mais notáveis é o aparecimento do nu. Não só a cultura clerical, como a aristocrática, eram opostas ao nu. O nu e a morte são democráticos e neles todos os homens se igualam. As danças da morte, já no fim da Idade Média, em processo de aburguesamento, eram condenadas pela igreja e pela aristocracia" (von Martin).

No teatro desapareceu, por exemplo, a figura abstrata do Diabo em geral, e surgiram diabos em particular. Lady Macbeth, Iago, Cássio, Ricardo III e outros de menor poder. Não eram mais "o princípio do mal", ou "anjos diabólicos" ou coisa que o valha, mas homens vivos que, livremente, optavam pelos caminhos considerados do mal.

Homens virtuosos no sentido maquiaveliano, que "aproveitavam ao máximo todas as suas forças potenciais, procurando eliminar todos os elementos emotivos e vivendo num mundo puramente intelectual e calculador. O intelecto carece em absoluto de caráter moral. É neutro como o dinheiro" (von Martin).

Não é de estranhar que um dos temas mais tipicamente shakespearianos seja a tomada do poder por quem não tem o direito legal de o fazer. Também a burguesia não tinha o direito de tomar o poder, e, no entanto, tomou-o. Shakespeare contava, em forma de fábula, a história da burguesia. Porém, sua situação era dicotômica: embora sua simpatia, como dramaturgo e como homem, estivesse decididamente ao lado de Ricardo III (o virtuoso-mor, o representante simbólico da classe em ascensão, o homem que agia confiando na própria *virtù*, derrotando a tradição e o esquema social preestabelecido e consagrado), Shakespeare devia se curvar, conscientemente ou não, à nobreza que o patrocinava e que, afinal de contas, ainda detinha o poder político. Ricardo é o herói indiscutível, embora acabe sendo derrotado no quinto ato. Era sempre no quinto ato que essas coisas aconteciam. E nem sempre aconteciam convincentemente: Macbeth é derrotado de maneira criticável, do ponto de vista dramatúrgico, pelo menos, pelos representantes da legalidade Malcolm e Macduff. Um, o herdeiro legítimo embora covarde e fujão, o outro, seu servidor e vassalo fiel. Hauser justifica essa dicotomia quando lembra que a rainha Elizabeth era uma das maiores devedoras de todos os bancos ingleses, o que vem mostrar que a própria nobreza inglesa era também dicotômica. Shakespeare afirmava os novos valores burgueses que surgiam, embora aparentemente restaurasse a legalidade e o feudalismo no fim de suas peças.

Toda a dramaturgia shakespeariana é um documento comprobatório do aparecimento do homem individualizado no teatro. Todos os seus personagens centrais são sempre analisados multidimensionalmente. Será difícil encontrar, na dramaturgia de qualquer outro país, ou época, outro personagem que se compare a Hamlet. Ele é analisado em todos os planos e direções: nas suas relações amorosas com Ofélia, amistosas com Horácio, políticas em relação ao rei Cláudio e a Fortimbrás, na sua dimensão metafísica, psicológica etc. Shakespeare foi o primeiro dramaturgo a afirmar o homem em toda a sua plenitude,

A concreção burguesa

como nenhum outro dramaturgo o fizera antes, não se excetuando sequer Eurípides. Hamlet não é a dúvida abstrata, mas sim um homem que, diante de determinadas e bem precisas circunstâncias, duvida. Otelo não é o Ciúme em si, mas simplesmente um homem capaz de matar a mulher amada porque desconfia. Romeu não é o Amor, mas um rapazote que se apaixona por uma certa moça, chamada Julieta, que tem tais pais e tal ama, e encontra resultados funestos nas suas aventuras amorosas.

O que foi que aconteceu com o personagem do teatro? Simplesmente deixou de ser objeto e transformou-se no sujeito da ação dramática. O personagem tornou-se uma concreção burguesa.

Sendo Shakespeare o primeiro dramaturgo da *virtù* e da *práxis*, é ele, neste sentido e exclusivamente neste, o primeiro dramaturgo burguês. Foi o que primeiro soube traduzir, em toda a sua extensão, as características fundamentais da nova classe. Antes dele, é claro, e mesmo durante a Idade Média, já existiam peças e autores que tentavam o mesmo caminho: Hans Sachs na Alemanha, o Ruzzante na Itália (ainda sem falar de Maquiavel), na França, a célebre *Farsa do mestre Pathelin* etc.

É preciso acentuar, entretanto, que Shakespeare não se utilizava, a não ser em casos excepcionais, como Antônio, o Mercador de Veneza, de heróis que fossem formalmente burgueses. Ricardo III é também o duque de Gloucester. O caráter burguês da obra shakespeariana não reside absolutamente nos seus aspectos exteriores, mas unicamente na apresentação e criação de personagens dotados de *virtù* e confiantes na *práxis*. Nos aspectos formais, o seu teatro apresenta resíduos que podemos considerar feudais: o povo fala em prosa e os nobres falam em versos, por exemplo.

Uma crítica, e mais séria, que se pode levantar contra essa afirmação é a de que a burguesia, pela sua própria condição de alienadora do homem, não seria a classe mais indicada para propor justamente a sua multidimensionalização.

Acreditamos que isso seria verdade se ocorresse sempre um salto brusco e repentino entre dois sistemas sociais que se sucedem, se um deixasse de existir no momento exato em que surgisse o outro. Isto é, se a burguesia criasse a sua própria superestrutura de valores no momento exato em que o primeiro burguês alugasse a força de trabalho do primeiro operário e dele auferisse a primeira mais-valia. Como tal não ocorre, preferimos analisar mais detidamente esse aspecto.

Na verdade, Shakespeare não instituiu a multidimensionalidade de todos os homens, de todos os personagens ou da espécie humana em geral, mas somente a de alguns homens possuidores de certa excepcionalidade, isto é, daqueles dotados de *virtù*. A excepcionalidade desses homens era fortemente marcada em duas direções opostas: contra a nobreza impotente e esfacelada, e contra o povo em geral, a massa amorfa. No primeiro caso é suficiente lembrar alguns conflitos fundamentais estabelecidos pelos personagens centrais. Quem são os opositores de Macbeth senão gente medíocre? Duncan e Malcolm não têm nenhum valor individual que os exalte. Ricardo III defronta-se com toda uma corte de nobres decadentes, começando pelo doentio Eduardo IV, um grupo de faladores, inconstantes, débeis. E sobre a podridão do reino da Dinamarca não é necessário acrescentar nada às palavras do próprio príncipe.

Por outro lado, o povo ou não se manifesta ou é facilmente ludibriado e aceita passivamente a troca de senhores (Maquiavel: "O povo facilmente aceita a troca de senhores porque acredita vãmente assim poder melhorar"). O povo é manipulado pela vontade dos virtuosos. Lembre-se a cena em que Brutus e depois Marco Antônio inflamam o povo, cada um por sua vez e com argumentos opostos. O povo é massa informe e moldável. Onde estava o povo enquanto Ricardo e Macbeth cometiam os seus crimes, ou quando Lear partilhava o seu reino? São questões que não interessavam a Shakespeare.

A burguesia, conclui-se, afirmava um tipo de excepcionalidade contra outro: *a individual contra a estamental*. Enquanto sua principal contradição era contra a nobreza feudal, a burguesia propunha o homem — esse mesmo homem que foi mais tarde, por ela própria, submetido às mais severas reduções, quando a principal contradição burguesa passou a ser com o proletariado. Porém, esperou o momento oportuno para iniciar essa nova tarefa e só começou a executá-la quando assumiu definitivamente o poder político. Quando, no dizer de Marx, as palavras do slogan "*Liberté! Egalité! Fraternité!*" foram substituídas por outras que melhor traduziam seu verdadeiro signicado:

A concreção burguesa

"Infantaria! Cavalaria! Artilharia!". Só então começou a reduzir o homem que ela mesma propusera.

III. MAQUIAVEL E *A MANDRÁGORA*

A mandrágora é uma peça típica da transição entre o teatro feudal e o teatro burguês, e seus personagens contêm, equivalentemente, tanto abstração como concreção. Ainda não são seres humanos completamente individualizados e multidimensionalizados, mas já deixaram de ser meros símbolos e sinais. Sintetizam características individuais e ideias abstratas, conseguindo um perfeito equilíbrio.

No prólogo, Maquiavel desculpa-se por ter escrito uma peça de teatro, gênero leviano e pouco austero. Parece acreditar que deve simplesmente entreter os espectadores, fazendo-os pensar o mínimo possível e deliciando-os com histórias de amor e galanterias. Por isso, utilizou-se de um jocoso caso de adultério e continuou pensando as ideias sérias e graves que o preocupavam.

Maquiavel acredita que a tomada do poder (ou a conquista da mulher amada) só pode ser atingida através de raciocínio frio e calculador, isento de preocupações de ordem moral e voltado unicamente para a factibilidade e a eficácia do esquema a ser adotado e desenvolvido. Essa é a ideia central da peça, e divide os personagens em dois grandes grupos: os virtuosos e os não virtuosos, isto é, aqueles que acreditam nessa premissa e por ela se regem, e os que não.

Sob esse aspecto, Ligúrio é o personagem central da peça, o personagem *pivot*, o maior virtuoso. Ele é uma metamorfose do Diabo que começa, nele, a adquirir livre-iniciativa. Ligúrio não é o parasita convencional, de longa tradição na história do teatro. É um homem dotado de grande *virtù*, que livremente escolheu ser parasita, como poderia ter escolhido ser monge ou cônego. Pouco importa se o autor utilizou uma figura teatral preexistente: importa a nova contribuição trazida. Ligúrio acredita apenas na própria inteligência, na sua capacidade de resolver, através do intelecto, todos e quaisquer problemas que surjam. Jamais confia no acaso, na boa fortuna ou no destino, como Calímaco; confia apenas nos esquemas que pensa e preestabelece, e depois metodicamente executa. Em nenhum momento passa-lhe pela cabeça qualquer pensamento ou preocupação de ordem moral, a não ser quando medita sobre a maldade dos homens. Medita sem nenhum lamento, mas apenas com muito sentido prático e utilitário. Medita friamente, como o faria o próprio Maquiavel, sobre o bom ou o mau uso que se pode fazer da crueldade, sem atribuir à crueldade *em si* qualquer valor moral. A esse respeito, não deixa de existir um certo parentesco entre Maquiavel e Brecht. Também este é capaz de escrever que às vezes é necessário "mentir ou dizer a verdade, ser honesto ou desonesto, cruel ou piedoso, caridoso ou ladrão". A *práxis* deve ser a única determinante do comportamento do homem. Ligúrio não possui uma forma particularmente sua de agir, uma forma pessoal. É um camaleão. Dada a profissão que escolheu, sabe que deve acomodar a sua personalidade a várias formas diferentes, de acordo com as conveniências ditadas por cada situação particular e por cada objetivo a ser atingido. Conversando com o doutor, é requintado, procurando fazer com que Messer sinta-se um homem viajado, profundo conhecedor dos homens e das redondezas de Florença. Com Calímaco, faz-se passar por seu amigo desinteressado, pronto a ajudá-lo no seu maior anseio. Piedosamente, ajuda frei Timóteo na sua incansável busca de Deus e de melhores condições financeiras. Para melhor se entender Ligúrio, seria aconselhável uma leitura, rápida que fosse, de Dale Carnegie e Napoleon Hill, autores americanos modernos que ensinam a arte de subir na vida.

Frei Timóteo, porém — ao contrário de Nícia —, também é um virtuoso, e muito cedo compreende Ligúrio, com ele contraindo enorme intimidade, para proveito de ambos. Os dois executam um plano no qual procuram afastar qualquer interferência da corte, e no qual intervém apenas o conhecimento que ambos possuem dos homens reais, exatamente como são. Ligúrio sabe que os homens são maus, porque se afeiçoaram demasiadamente ao dinheiro, o denominador comum de todos os valores morais. De posse desse útil conhecimento, Ligúrio sabe que será bem-sucedido em qualquer empresa, desde que não dê nenhuma importância aos valores fingidamente prezados, como a honra, a dignidade, a lealdade e outras interessantes virtudes medievais. Tudo pode ser traduzido em florins. O esquema de Ligúrio não é maldoso, nem imoral, nem perverso: é apenas um esquema inteligente e prático, e único capaz de realizar a proeza incrível e quase impossível de conquistar Madonna Lucrécia, a honrada, a piedosa, a insensível aos prazeres carnais — pelo menos ela reza bastante para acreditar nisso! —, a distante, a recatada, aquela diante de cuja honestidade e retidão até os criados e servidores ficavam temerosos. Tudo é possível neste mundo, desde que se conte sempre com a realidade dos homens, sem exaltá-los, sem execrá-los, sem louvá-los ou censurá-los: apenas considerando-os como verdadeiramente são, e disso tirando partido.

Frei Timóteo, por sua vez, não é um frade corrupto, cobiçoso, mas sim o símbolo de uma nova mentalidade religiosa. Se o mundo renascentista se mercantilizava em todos os seus setores (e é conveniente lembrar que até frei Luis de León compara as mulheres às pedras preciosas, não pelos seus valores espirituais, mas pela simples possibilidade que têm de serem entesouradas), também assim o nosso frade admite que a Igreja, para sobreviver, necessita contabilizar-se. Timóteo pensa dessa maneira não por má-fé, mas porque compreende a natureza dos novos tempos, e há que progredir ou desaparecer. Timóteo assimila as novas verdades, aceita os novos costumes, adapta-se à nova sociedade. No mesmo livro, guarda os santos ensinamentos da Bíblia e as finanças eclesiásticas. Timóteo, como mais tarde Lutero, já acredita que o Livro Santo pode e deve ser diversamente compreendido, de acordo com cada caso específico e individual. Não deve existir uma interpretação dogmática, que tenha, objetivamente, o mesmo significado e valor para todos. Cada um de nós deve entrar em contato direto com Deus e seus santos ensinamentos, e nessa subjetiva relação homem-Deus encontraremos mais facilmente a felicidade de que tanto carecemos, assim na Terra como no Céu. A Bíblia passa a servir unicamente para socorrer o frade, para explicar e apoiar as suas decisões. Dessa forma, o procedimento ingênuo das filhas de Lot vem justificar o adultério de Lucrécia. Em todas as coisas deve-se considerar o fim: o fim de Lucrécia é preencher uma vaga no Paraíso e isso é o que conta. Se, para tanto, necessita trair o marido, pouco importa: importa apenas a pequena alma que será dada à luz e a Deus. Moisés não deixaria de surpreender-se com essa furiosa interpretação do seu texto...

Este amoralismo de Timóteo tem sido questionado com base num único monólogo no qual ele se confessa arrependido, afirmando que as más companhias são capazes de levar um bom homem à forca. Acreditamos, entretanto, que Timóteo não sente a consciência culpada ou o coração pesado, nem nada do gênero. Para nós, Timóteo não está apreensivo pelos pecados que possa ter cometido, mas simplesmente muito triste por ter sido enganado por Ligúrio. Ambos haviam feito um contrato, pelo qual o frade receberia a quantia de trezentos ducados. Porém, esse contrato não previa a necessidade do disfarce com que enganava mais uma vez Messer Nícia; Timóteo lamenta ter sido ludibriado na sua boa-fé e ter que pagar mais do que estava combinado. Muito satisfeito ficaria se a sua cota em florins fosse aumentada, mesmo que se aumentasse também o número de pecados que devia cometer.

Nesta trajetória do Céu à Terra, todos os valores aterrissaram. Até o próprio Deus humanizou-se. Para Timóteo, Ele deixou de ser o Deus distante, atingível unicamente através de preces fervorosas. Timóteo conversa com Deus coloquialmente, se bem que assumindo ainda uma posição subalterna, exatamente como se Deus fosse o dono de uma firma comercial na qual o frade desempenhasse as funções de gerente. Timóteo, nos seus monólogos, presta contas ao proprietário da gerência dos seus negócios terrenos. Timóteo é o símbolo da Igreja que faz sua entrada triunfal na era mercantilista. Ao entrar, porém, não despreza nenhum dos elementos encantatórios dos rituais tradicionais, da meiguice paternal que deve caracterizar os membros do clero, a fim de lhes facilitar o melhor desempenho das suas funções. A grande teatralidade do frade deve-se precisamente a esta dicotomia: fala da maneira mais espiritual possível nos momentos em que trata dos assuntos financeiros mais materiais possíveis. Maquiavel obtém assim um efeito energicamente desmistificador, que muito conserva do processo hiperbólico aristofanesco, ou de seus discípulos mais recentes, Voltaire e Arapuã. Todos esses autores desmistificam, cada um no seu setor, as verdades "eternas". Mas não o fazem através do tradicional processo de negá-las, mas sim afirmando-as e tornando-as insustentáveis pelo excesso de afirmação. Tornando-as absurdas.

Maquiavel e *A mandrágora*

Ainda restaria acrescentar, ao rol dos personagens virtuosos, a mãe de Lucrécia, Sóstrata. Esta é uma espécie de virtuosa aposentada. Foi, na sua distante juventude, uma respeitável e digna dona de bordel. Isso, porém, em nada desencoraja o seu caráter impoluto, a sua delicadeza afeita aos bons costumes da corte. Principalmente agora, que é uma mulher enriquecida. O seu comércio em pouco ou em nada difere de qualquer outro tipo de comércio, apresentando inclusive algumas vantagens interessantes: os produtos comerciáveis eram as suas próprias operárias, o que possibilitava um animador aumento da mais--valia que delas se podia auferir...

O notário Nícia é um dos personagens mais cativantes de toda a história do teatro. Enriquecido com o desenvolvimento da vida citadina, lamenta morrer sem ter um herdeiro a quem deixar sua fortuna avaramente escondida. Nícia, como a maioria dos burgueses, gostaria de ter nascido príncipe ou conde, ou, pelo menos, um simples barãozinho. Como tal infelizmente não aconteceu, ele quer fazer com que o seu comportamento se assemelhe, no que for possível, ao dos nobres. No seu momento crucial no segundo ato, Nícia apenas consente que a mulher se deite com um estranho unicamente porque assim também o fizeram alguns nobres exemplares, como o rei da França e tantos outros fidalgos que há por lá. A cena é admirável. A um só tempo Nícia sofre terrivelmente com o adultério consentido e sente-se feliz com a perspectiva de ter um herdeiro, imitando a nobreza francesa. Sente-se nobre, embora lhe doa a testa. Ligúrio manobra Nícia à sua vontade, utilizando-se dele até com certa simpatia, diante de tamanha vontade ingênua.

Lucrécia é o fiel da balança. Antes de conhecer Calímaco, conduzia sua vida de maneira exemplar, que só poderia ser elogiada por frei Luis de León (*A perfeita casada*) ou por Juan Luis Vives (*Instrução à mulher cristã*). Ela era o próprio símbolo desejado por esses dois escritores. Passava o tempo lendo a vida dos santos mais puros e castos, deixando de lado até mesmo aqueles que tiveram seus pecados perdoados. Guardava os tesouros do marido, jamais ousando dar uma espiadinha pela janela entreaberta, gradeada. Lucrécia, sobretudo, orava. E quanto mais o seu corpo sentia a falta de alguma coisa indescritível, tanto mais fervorosa ela se tornava. Muitas, como ela, assim viveram e morreram, sentindo angustiantemente a falta de algo impreciso. Lucrécia também acreditava que o que lhe faltava era o suave bafejo dos anjos, a carícia e o leve roçar do bafo dos habitantes do Paraíso. A Lucrécia só lhe faltava morrer para que sua felicidade fosse completa. Ou, então, faltava-lhe Calímaco; este não havia de tardar.

Como ideia, ela representa, no começo da peça, a abstração medieval da mulher honrada e pura. A sua doce transição representa o aparecimento da mulher renascentista, mais afeita às coisas terrenas, mais com os pés em cima da terra. Representa, como diria Maquiavel, a diferença entre "como se deveria viver e como realmente se vive". Porém, mesmo depois de operada a mudança milagrosa, ela continua pensando no Céu e não abdica de nenhum dos valores antigos: simplesmente passa a utilizá-los de uma forma mais prudente e agradável. Aceita os novos prazeres, fruídos mais pelo corpo do que pelo espírito, e neles não vê pecado, mas simples obediência à vontade divina: "Se isto me aconteceu só pode ter sido por determinação de Deus e não me sinto com forças para recusar aquilo que o Céu quer que eu aceite".

Os demais personagens, a Viúva e Siro, são menos significativos. A primeira serve quase que exclusivamente para caracterizar, logo na sua primeira cena, a peculiar maneira de pensar do frade e a sua capacidade de tudo traduzir em termos de dinheiro. Quando a Viúva lhe pergunta se os turcos invadirão a Itália, frei Timóteo, sem hesitar, responde que tudo depende das orações e missas que ela mandar rezar. As orações são gratuitas, porém as missas são bem pagas. A Viúva paga missas para que os turcos não invadam a Itália, paga missas que façam seu inesquecível marido saltar do Purgatório ao Paraíso, paga, enfim, para que lhe sejam perdoados os pequenos pecadilhos causados pelo fato de que a carne é fraca e não há espírito forte que a dome.

Quanto a Siro, pouco mais é do que o tradicional criado, que tudo faz pelo bem-estar dos patrões, cuidando dos seus interesses e provendo para que se realizem bem os seus planos. É o personagem menos desenvolvido da peça, servindo apenas no que diz respeito à parte técnica, ajudando Calímaco a contar à plateia os antecedentes da história.

Acreditamos que qualquer encenação desta peça deve manter sempre uma linha de total clareza e sobriedade de meios. Não se deve esquecer nunca que este texto foi escrito por Maquiavel e que Maquiavel tinha alguma coisa importante a dizer.

A utilização de uma simples história de amor e de personagens como Nícia, Lucrécia, Sóstrata e os demais, é puramente circunstancial, servindo apenas para apresentar, numa forma divertida e teatral — numa forma figurada —, o funcionamento prático do homem virtuoso. A liberdade do encenador diminui à medida que aumenta a precisão conceitual do dramaturgo. O diretor de Maquiavel necessita ser claro ao traduzir teatralmente as suas ideias.

A mandrágora é, também, uma das experiências mais bem logradas de dramaturgia popular. Acredita-se, convencionalmente, que o teatro popular deve aproximar-se sempre do circo, quer como texto, quer como interpretação. Essa opinião é bastante divulgada e aceita. Discordamos frontalmente, como discordaríamos de quem afirmasse que a novela radiofônica, dada a sua peculiar violência emocional, é uma forma válida de arte popular. Acreditamos, ao contrário, que a característica mais importante do teatro que se dirige ao povo deve ser a sua clareza permanente, a sua capacidade de, sem rodeios ou mistificações, atingir diretamente o espectador, quer na sua inteligência, quer na sua sensibilidade. *A mandrágora* atinge o espectador inteligentemente e, quando consegue emocioná-lo, ela o consegue através do raciocínio, do pensamento, e nunca através da ligação empática, abstratamente emocional. E aqui reside a sua principal qualidade popular.

IV. MODERNAS REDUÇÕES DA *VIRTÙ*

Talvez a burguesia, no seu ímpeto inicial, tenha levado longe demais as fronteiras do teatro. O homem por ela instaurado ameaçava expandir-se. O próprio drama shakespeariano, embora ainda fortemente limitado, podia servir como faca de dois gumes, abrindo novos caminhos que não se sabia bem aonde poderiam conduzir. A burguesia cedo deu-se conta desse fato e, na medida em que assumiu o poder político, iniciou a tarefa de desarmar o teatro das armas que ela própria lhe dera, em seu benefício. Maquiavel propunha a libertação do homem de todos os valores morais. Shakespeare seguia à risca essas instruções, embora sempre se arrependesse no quinto ato e restaurasse a legalidade e a moral. Era necessário que surgisse alguém que, sem renegar a liberdade recém-adquirida pelo personagem dramático, pudesse impor-lhe certos limites, teorizando uma fórmula que lhe preservasse a liberdade formal, embora fazendo sempre prevalecer a verdade dogmática, preestabelecida. Esse alguém foi Hegel.

Hegel afirmava que o personagem é livre, isto é, "os movimentos interiores da sua alma devem sempre poder ser exteriorizados, sem peias nem freios". Porém ser livre não significa que o personagem possa ser caprichoso e fazer o que lhe der na veneta: "Liberdade é a consciência da necessidade ética". O comportamento do personagem, no drama, é sempre um comportamento ético. Ele porém não deve exercer a sua liberdade sobre o que for puramente acidental ou episódico, mas apenas sobre as situações e os valores comuns a toda a humanidade ou à nacionalidade: "Os poderes eternos, as verdades mais", por exemplo, o amor, o amor filial, o patriotismo etc.

Desse modo, Hegel consegue fazer com que o personagem passe a incorporar um princípio ético, e a sua liberdade consiste unicamente em traduzir esse princípio, em concretizá-lo na vida real, no mundo exterior. Os valores morais, abstratos, adquirem porta-vozes concretos, que são os personagens. Não se trata mais do teatro feudal em que a bondade era um personagem chamado exatamente Bondade: agora ela se chama Fulano ou Sicrano. Porém, Bondade e Sicrano são uma e a mesma coisa, embora diferentes: um é o valor abstrato e o outro, a sua concreção humana. Esses personagens, portanto, incorporam imanentemente um valor "eterno", uma verdade "moral", ou sua antítese. Para que haja drama, no entanto, é necessário que haja conflito. Logo, os personagens que incorporam esses valores entram em choque com os personagens que incorporam as suas antíteses. A ação dramática é o resultado das peripécias advindas dessas lutas.

A ação, segundo Hegel, deve ser conduzida a um determinado ponto em que possa ser restaurado o equilíbrio. O drama deve terminar em repouso, em harmonia (ainda estamos bem longe de Bertolt Brecht, que afirma o exato oposto). Como, porém, poderá esse equilíbrio ser atingido, senão através da destruição de um dos antagonistas que conflituam? É necessário que o sistema de forças tese-antítese seja levado a um ponto de síntese e isso, em teatro, só pode ser feito de duas maneiras: morte de um dos personagens irreconciliáveis (tragédia) ou arrependimento (drama romântico ou social, segundo o sistema hegeliano).

Porém, e é ainda Hegel quem afirma, o drama, como qualquer outra arte, é "o luzir da verdade através dos meios sensoriais de que dispõe o artista". Como, porém, poderá a verdade luzir se o personagem portador da verdade "eterna" for destruído? Não. É necessário que o erro seja punido. O personagem que incorpora a mentira deve morrer ou arrepender-se. Hegel poderia admitir, quando muito, a morte do herói concreto, do homem real, desde que, através dessa catástrofe, luzisse com maior brilho a verdade que ele portava. E isso frequentemente acontecia no romantismo.

O romantismo é, sem dúvida, uma reação contra o mundo burguês, porém apenas contra o que ele tem de exterior, de acidental. Lutava, aparentemente, contra os valores burgueses. Mas o que propunha em troca? É Hegel quem responde: o Amor, a Honra, a Lealdade. Isto é, os mesmos valores da cavalaria. Um retorno mal disfarçado às abstrações medievais, agora num teatro formulado com maior precisão teórica e complexidade.

O romantismo reeditou o tema feudal do Juízo Final, ou melhor, da recompensa pós-terrena. Não têm outro significado as falas finais de Dona Sol, em *Hernani*, que, ao morrer, fala do voo maravilhoso que os dois apaixonados empreenderão, na morte, à procura de um mundo melhor. A verdadeira vida e a verdadeira felicidade não são possíveis. É como se dissessem: "Este mundo é por demais nojento e abjeto. Aqui só podem ser felizes os burgueses com seus interesses mesquinhamente materiais. Deixemos aos sórdidos dos burgueses a sua sórdida felicidade e o seu sórdido dinheiro que apenas compra sórdidos prazeres: nós seremos eternamente bem-aventurados. Suicidemo-nos, pois!". Nenhum burguês ficaria seriamente ofendido com tais propostas.

O romantismo poderia ser considerado apenas como um canto do cisne da nobreza feudal, se não possuísse também um caráter marcadamente mistificador e alienador. Arnold Hauser analisa o verdadeiro significado do *Romance de um jovem pobre*, mostrando que Octave Feuillet procura inculcar no leitor a ideia de que um homem, mesmo pobre e miserável, pode e deve possuir a verdadeira dignidade aristo-crática, que é essencialmente espiritual. As condições materiais da vida de cada um pouco importam: os valores são os mesmos para todos os homens.

Procuravam-se, assim, resolver no campo do espírito os proble-mas que os homens enfrentavam no campo social. Todos, indistinta-mente, podiam aspirar à perfeição espiritual, mesmo que fossem pobres como Jean Valjean, deformados como Rigoletto, ou párias com Her-nani. Os homens, embora famintos, devem preservar essa coisa bela que se chama liberdade espiritual. Quem o diz, com palavras mais lin-das, certamente, é Hegel, é Victor Hugo. Esta foi a primeira grave re-dução imposta ao homem no teatro: ele passou a ser equacionado em relação aos valores ditos eternos e imutáveis.

O realismo, embora tão louvado por Marx, representou a segun-da grande redução: o homem passou a ser o produto direto do seu meio ambiental. É verdade que não assumiu, nas mãos dos seus primeiros cultores, as proporções esterilizantes que veio a assumir mais tarde. Claro está que Marx nem sequer podia suspeitar o que fariam Sidney Kingsley, Tennessee Williams e outros, modernamente.

A principal limitação realista consiste em apenas constatar uma realidade que já se supõe conhecida. Do ponto de vista naturalista, a obra de arte será tão melhor na exata medida em que melhor logre re-produzir a realidade. Antoine levou essa premissa às últimas conse-quências, desistindo de reproduzir a realidade e levando a própria rea-lidade ao palco: num dos seus espetáculos utilizou carne verdadeira num cenário que representava um açougue.

Zola, expondo a sua célebre teoria de que o teatro deve mostrar "uma fatia da vida", chegou a escrever que o dramaturgo não deve to-mar partido, mostrando a vida exatamente como ela é, não sendo se-quer seletivo. A vulnerabilidade dessa argumentação é tão óbvia que não se torna necessário demonstrar que a própria escolha do tema, da história e dos personagens já significa uma tomada de posição por par-te do autor. A afirmação de Zola tem, no entanto, a importância de

Modernas reduções da *virtù*

mostrar o beco sem saída onde foi ter a objetividade naturalista: a própria realidade fotográfica. Além desse ponto não era possível, objetivamente, prosseguir. Mas havia o caminho inverso: a subjetivação crescente. Jamais, depois de Shakespeare, o homem foi mostrado multidimensionalmente no palco. Quando cessou o movimento objetivo, iniciou-se a série de estilos subjetivos: impressionismo, expressionismo, surrealismo. Todos eles tendentes a restaurar uma liberdade, porém meramente subjetiva. Surgiram as emoções abstratas, o medo, o terror, a angústia. Tudo na cabeça do personagem que projetava exteriormente o seu mundo fantasmagórico.

O próprio realismo procurou caminhos dentro do homem, explorando a psicologia, porém nem aí foi mais feliz. Reduziu o homem a equações psicoalgébricas. Para se dar conta do que aconteceu, basta lembrar algumas das últimas produções de Williams e outros autores de sua escola. A receita varia pouquíssimo: juntando-se um pai que abandona a mãe logo após o nascimento do primogênito, com uma mãe que se dá ao vício da embriaguez, certamente obteremos um personagem cuja tara deverá ser um tipo qualquer de sadomasoquismo generalizado. Se a mãe é infiel — a matemática não falha — o filho será um delicado invertido sexual.

É lógico que qualquer evolução a partir dessas equações só poderia ser uma, e Tennessee Williams, autor dotado de grande talento, não podia deixar de segui-la: a mastigação literal dos órgãos sexuais do protagonista. Não deixa de ter uma certa originalidade... Ir além, só entrando para um convento, e cremos que Williams, cedo ou tarde, não deixará de fazê-lo.

O teatro, modernamente, procurou seguir também os descaminhos do misticismo; a procura de Deus como fuga aos problemas materiais. Eugene O'Neill, mais de uma vez, afirmou não estar interessado nas relações dos homens entre si, mas tão somente nas relações do homem com Deus. Na falta de Deus, O'Neill interessa-se pelos poderes misteriosos e sobrenaturais que nos circundam e que não sabemos explicar. Os fenômenos explicáveis parecem não interessá-lo. Seus olhos estão "além do horizonte", em busca de trágicos destinos, ou à espera e à espreita do aparecimento de novos deuses. Enquanto eles não vêm, O'Neill vai fabricando os próprios, para uso caseiro. Não é isso o que acontece em *Dínamo*? O dramaturgo quase se projeta no terreno da *science fiction*. Se ainda vivesse, da mesma forma que descobriu o Deus-Dínamo, teria já descoberto o Deus-Sputnik, o Deus-Cinturão Magnético, e outros habitantes do moderno e científico Olimpo.

A burguesia descobriu recentemente, talvez ajudada pelas estatísticas de Hollywood, o enorme poder persuasivo do teatro e das artes afins. Citamos Hollywood e gostaríamos de dar um exemplo: no filme *Aconteceu naquela noite*, em determinada cena, o ator Clark Gable tira a camisa e revela que não usa camiseta. Isso foi o bastante para levar à falência várias fábricas americanas desse artigo, que deixaram de ter entre os seus clientes os membros dos vários Clark-Gable-fã-clubes, ávidos de imitar o ídolo.

O teatro, no entanto, influencia os espectadores não apenas no que se refere à indumentária, como nos valores espirituais que lhes pode incutir, através do exemplo. Surgiu assim um novo tipo de peça e de filme "exemplar", que procura reiterar alguns valores consagrados da sociedade capitalista, como a arte e a faculdade de subir na vida, através da livre-iniciativa. São peças e filmes biográficos que mostram a trajetória fulgurante de determinados cidadãos que galgaram as escadas da fama e da fortuna, partindo das condições de vida mais humildes. "Se J. P. Morgan amealhou tão considerável fortuna, iates, mansões etc., por que você não poderá fazer o mesmo? Claro que você também pode. A sua única obrigação é respeitar as regras do jogo." Isto é, do jogo capitalista.

Disse Marx que todos os fatos históricos acontecem pelo menos duas vezes: a primeira como tragédia, a segunda como comédia. Foi o que aconteceu com a obra de Maquiavel. Os seus escritos tinham um sentido de profunda gravidade. Já os seus discípulos americanos de hoje, inspiradores dessa linha exemplar do teatro e do cinema — Dale Carnegie e outros —, não podem jamais evitar a comicidade de que inevitavelmente envolvem seus conselhos, que mais parecem receitas culinárias de forno e fogão. Se o leitor perdoar a quase despropositada comparação, diríamos que, no entanto, tanto Maquiavel como Dale Carnegie pregam o célebre slogan "Querer é poder"...

A mais recente e a mais severa redução do homem, contudo, é a que vem sendo realizada pelo antiteatro de Eugène Ionesco, que procura retirar do homem até mesmo a sua capacidade de comunicação. O homem torna-se incomunicável, não no sentido em que lhe é impossível transmitir as emoções mais íntimas ou as nuanças de seu pensamento, mas literalmente incomunicável. Tanto assim que todas as palavras podem ser traduzidas numa só: *chat* (*Jacques ou a submissão*). Todos os conceitos valem *chat*. Ionesco declara esse absurdo com muita graça e nós — burgueses e pequeno-burgueses — rimos bastante. Mas já não o achariam tão engraçado operários à espera de um pronunciamento das classes patronais quanto à necessidade de um imediato aumento dos níveis salariais, que recebessem em resposta um discurso como aquele que encerra a peça *As cadeiras*, pronunciado por um mensageiro mudo. Ou se lhe dissessem que "aumento de salário" é *chat*, "miséria" é *chat*, "fome" é *chat*, tudo é *chat*.

Esta tentativa de análise e estas objeções não significam que pretendemos afirmar que esses autores carecem de importância. Pelo contrário, acreditamos que eles são extremamente significativos, por serem justamente as testemunhas da fase final da sociedade e do teatro burgueses. São eles que concluem a trajetória desse teatro, quando o homem multidimensionalizado é submetido a reduções que o transformam por completo em novas abstrações, quer sejam elas de ordem psicológica, moral ou metafísica. Nesse sentido, Ionesco leva a palma a todos os seus demais companheiros, na ingente tarefa de desumanizar o homem ou a de revelar a sua desumanização. Foi ele quem escreveu o último personagem burguês, Bérenger, à volta do qual todos os personagens vão gradativamente se transformando em rinocerontes, ou seja, em *abstrações*. No que se terá transformado este último representante da espécie humana, último e único, quando todos os demais já desapareceram, senão precisamente na *abstração* da espécie humana? Bérenger nada mais é do que a negação do rinoceronte, e portanto, ele próprio, um não rinoceronte alienado! Ele não possui qualquer outro conteúdo além da simples negação.

Essa foi a trajetória desenvolvida pelo teatro desde o surgimento da moderna burguesia. Contra esse teatro deverá surgir um outro, determinado por uma nova classe, e que dele divirja não apenas em caracteres estilísticos, mas de forma muito mais profundamente radical. Esse novo teatro, materialista dialético, será forçosamente também um teatro de abstrações, pelo menos em sua fase inicial. Não mais apenas abstrações superestruturais, mas também infraestruturais. Seus personagens ainda revelam, em algumas peças de Brecht, a sua condição de simples objetos. Objetos de funções sociais determinadas que, entrando em contradição, desenvolvem um sistema de forças que determina o movimento da ação dramática.

Trata-se de um teatro que mal acaba de nascer e que, embora rompendo com todas as formas tradicionais, ainda não teve os seus fundamentos teóricos suficientemente bem formulados. Só a prática constante fará surgir a nova teoria.

Modernas reduções da *virtù*

Hegel e Brecht:
personagem-sujeito ou personagem-objeto?
Conceito do "épico"

A maior dificuldade para compreender as extraordinárias transformações que sofre o teatro, com a contribuição do pensamento marxista, consiste na deficiente utilização de certos termos. Justamente porque essas gigantescas transformações não foram imediatamente percebidas, as novas teorias foram explicadas com o velho vocabulário: para designar novas realidades, se utilizaram velhas palavras, tentou-se utilizar novas conotações para palavras já cansadas e exaustas por suas velhas denotações.

Tomemos um exemplo: que quer dizer "épico"? No começo, Bertolt Brecht chamou seu novo teatro com essa velha palavra. Aristóteles, é verdade, não fala de *teatro* épico, mas sim de *poesia* épica, de tragédia e de comédia. Estabelece diferenças entre poesia épica e tragédia que se referem ao verso, para ele necessariamente presente nas duas formas, a duração da ação e finalmente ao que é mais importante: ao fato de que a poesia épica é formalmente narrativa, ao contrário do que acontece com a tragédia. Nesta, a ação ocorre no presente; naquela, a ação, ocorrida no passado, é agora recordada. Aristóteles acrescenta que todos os elementos da poesia épica se encontram na tragédia, mas nem todos os elementos da tragédia são encontráveis na poesia épica. Fundamentalmente, ambas "imitam" as ações de personagens de "tipo superior".

Erwin Piscator, contemporâneo de Brecht, utiliza um conceito completamente diferente do "épico": faz um teatro oposto ao preconizado por Aristóteles e usa, para designá-lo, a mesma palavra. Piscator utilizou, pela primeira vez em um espetáculo teatral, o cinema, os slides, os gráficos e uma infinidade de mecanismos e recursos extrateatrais que podiam ajudar a explicar a realidade verdadeira na qual a peça se baseava. Essa absoluta liberdade formal, com a inclusão de qualquer elemento até então insólito, era chamada por Piscator "forma épica". Essa imensa riqueza formal rompia a ligação empática convencional e produzia um efeito de *distanciamento*; esse efeito foi depois aprofundado por Brecht, e já o estudaremos mais adiante. Quando Piscator montou *As moscas*, de Sartre, em Nova York, para que nenhum espectador deixasse de entender que Sartre estava falando da França ocupada pelas forças nazistas, exibiu, antes do espetáculo, um filme sobre a guerra, sobre a ocupação, a tortura e outros males do capitalismo. Piscator não queria permitir que se pensasse que a obra tratava dos gregos, que eram aqui simples elementos simbólicos de uma fábula que contava coisas pertinentes do mundo atual.

Hoje em dia a palavra "épico" está outra vez em moda numa nova acepção, em relação a certos filmes sobre o assassinato maciço de índios pelas tropas estadunidenses, ou filmes sobre a guerra expansionista norte-americana contra o México. Em resumo, filmes a "céu aberto". Esta é a concepção mais frequente que tem a palavra: um filme com muitos personagens, com muitos cavalos e tiros e lutas e ocasionalmente algumas cenas de amor, no meio de mortes, sangue de ketchup, violações e estupros, tudo isso embrulhado num pacote para maiores de dezoito anos.

Em todas essas acepções, a palavra épico tem a ver com tudo que seja amplo, exterior, objetivo, a longo prazo etc. Também na acepção de Brecht, a palavra tem essas características e algumas outras.

Brecht usa a expressão "teatro épico" principalmente em contraposição à definição de "poesia épica" que nos dá Hegel. Na verdade, toda a Poética de Brecht é, basicamente, uma resposta e uma contraproposta à Poética idealista hegeliana. Quero que isto fique claro: a poética de Brecht não é uma *categoria* (épica) de uma poética anterior, mas se constitui, ao contrário, em uma poética inteiramente nova que inclui (como a de Hegel) os gêneros lírico, épico e dramático. A confrontação central entre essas duas Poéticas (hegeliana e brechtiana) se dá no conceito de *liberdade do personagem*, como já veremos: para Hegel, o personagem é inteiramente livre quer se trate da poesia lírica, épica ou dramática; para Brecht (e para Marx), o personagem é objeto de forças sociais.

Para que se entenda o que significa "épico" para Hegel, é necessário lembrar inicialmente que, dentro do seu "Sistema das Artes", ele atribuiu importância fundamental ao maior ou menor grau em que "o espírito se liberta da matéria". Para explicá-lo melhor, digamos que Arte, para Hegel, era "o luzir da verdade através da matéria". Por isso, dividia as artes em simbólicas, clássicas e românticas. Nas primeiras predomina a matéria e o espírito é muito pouco visível. Nesse caso está, por exemplo, a arquitetura. No segundo caso, o espírito já se liberta um pouco mais da matéria e consegue o equilíbrio; é o caso da escultura: o rosto de um homem, sua fisionomia, sua expressão, seu pensamento, sua dor, conseguem transparecer através do mármore. Finalmente, as artes chamadas românticas são aquelas em que o espírito se consegue libertar completamente da matéria. Nesse caso está a poesia. A matéria da poesia são as palavras e não o cimento ou o mármore. Por isso, o espírito pode alcançar, na poesia, refinamentos impossíveis na arquitetura, onde pesadamente predomina a matéria, a pedra, a terra.

Gêneros da poesia em Hegel

Para Hegel, a poesia épica é aquela que apresenta "o mundo moral sob a forma de realidade exterior". Para ele, tudo o que acontece é determinado por poderes morais, "sejam divinos ou humanos, e os obstáculos exteriores que se lhes opõem, retardando sua marcha". Em outras palavras: o espírito de um Deus ou de um homem inicia uma ação que se defronta com obstáculos no mundo exterior: a poesia épica narra esses encontros e esses conflitos do ponto de vista da sua ocorrência no mundo exterior, e não do ponto de vista do espírito que lhe deu origem. "A ação toma a forma de um *acontecer* que se desenvolve livremente, e ante o qual se obscurece a figura do poeta." O importante são os fatos e não a subjetividade do poeta que os conta ou do personagem que os realiza. "A missão da poesia épica consiste em recordar tais acontecimentos. Representa assim o *objetivo* na sua própria *objetividade*", diz Hegel.

O poeta épico, ao contar como ocorreu tal ou qual batalha, deve descrever a batalha com o máximo possível de detalhes objetivos, sem se preocupar com a sua própria maneira particular de sentir esses fatos. Um cavalo deve ser descrito como um cavalo, *objetivamente*, e não através de *imagens subjetivas* que o poeta possa imaginar quando vê um cavalo.

A poesia lírica é exatamente o oposto da poesia épica, e expressa o "subjetivo, o mundo interior, os sentimentos, as contemplações e emoções da alma". "Em vez de recordar o desenvolvimento de uma ação, sua essência e finalidade consiste em expressar os movimentos interiores da alma humana."

O importante na poesia lírica não é o cavalo em si mesmo, mas sim as emoções que o cavalo pode despertar no poeta. Não são importantes os fatos concretos de uma batalha campal, mas sim a sensibilidade do poeta estimulada pelo ruído das espadas! A poesia lírica é completamente subjetiva, pessoal.

Finalmente, a poesia dramática, para Hegel, combina o princípio da objetividade (épica) com o princípio da subjetividade (lírica): "O caráter objetivo da ação que é apresentada diante dos nossos olhos e o caráter subjetivo dos motivos interiores, que movem os personagens e seu destino, que só pode ser o *resultado necessário de suas paixões e ações*". A ação não se apresenta como na poesia épica, como algo já sucedido, mas sim como algo que ocorre no momento mesmo em que o estamos presenciando. Na poesia épica, a ação e os personagens vivem um tempo distinto dos espectadores; na poesia dramática, os espectadores são transportados à época e ao lugar onde ocorre a ação, e ambos estão no mesmo tempo e lugar. Por isso, a empatia, a relação emocional presente e viva é possível apenas na poesia dramática e não na poesia épica. A poesia épica "recorda" e a poesia dramática "revive".

Vemos assim que na poesia dramática coexistem a objetividade e a subjetividade, mas é importante notar que, para Hegel, *esta precede aquela*: a "alma" é o sujeito que determina toda a ação exterior e interior. Como em Aristóteles, eram igualmente as paixões convertidas em atos as que moviam a ação. Nesses dois filósofos, o drama mostra a colisão exterior de forças originadas no interior, isto é, o conflito *objetivo* de forças *subjetivas*. Para Brecht, como já veremos, tudo acontece de maneira inversa.

CARACTERÍSTICAS DA POESIA DRAMÁTICA, SEMPRE SEGUNDO HEGEL

Hegel pensa que temos a necessidade de ver os atos e as relações humanas apresentados diante de nós *ao vivo, de corpo presente*. Mas acrescenta, "a poesia dramática não se limita à simples realização de uma empresa que segue o seu curso pacificamente, mas, ao contrário, se desenvolve essencialmente em um conflito de *circunstâncias, paixões* e *caracteres* que leva consigo ações e reações, mais um desenlace final; assim, o que se apresenta à nossa vista é o espetáculo móvel e contínuo de uma luta animada entre personagens viventes que perseguem desejos opostos, em meio a situações cheias de obstáculos e de perigos".

Sobretudo, Hegel insiste em um ponto fundamental que marcará sua profunda diferença com a poética marxista de Brecht: "A ação não parece nascer de circunstâncias exteriores mas sim da vontade interior e dos caracteres dos personagens". Deste conflito surge o desenlace, que deve ser, como a ação mesma, "subjetivo e objetivo ao mesmo tempo; depois do tumulto de paixões e ações humanas, *sobrevém o repouso*".

Para que isso possa ocorrer, é necessário que os personagens sejam *livres*, isto é, é necessário que "os movimentos interiores da sua alma se possam exteriorizar livremente, sem freios e sem qualquer tipo de limitação". Em resumo, o personagem é *sujeito absoluto* de suas ações.

LIBERDADE DO PERSONAGEM-SUJEITO

Para que o personagem seja realmente livre, é necessário que a sua ação não seja limitada, a não ser pela vontade de outro personagem, igualmente livre. Hegel dá algumas explicações sobre o tema da liberdade do personagem-sujeito:

1. *O animal é inteiramente determinado pelo seu meio ambiente* e, portanto, não é livre, estando determinado por suas necessidades básicas de comer etc. Até mesmo o homem, em certa medida, não é livre, porque possui igualmente uma parte animal. As necessidades exteriores que sofrem os homens, as necessidades materiais, são uma li-

mitação ao exercício da sua liberdade. Por essa razão, os melhores personagens para a poesia dramática, segundo Hegel, são os que menos sentem as pressões das necessidades materiais. Os príncipes, por exemplo, que não necessitam trabalhar fisicamente para ganhar o pão nosso de cada dia e que têm multidões de servidores à sua disposição, que podem satisfazer suas necessidades materiais, permitindo assim ao Príncipe que *exteriorize livremente os movimentos do seu espírito...* Segundo Hegel, essa multidão que cria ao Príncipe as melhores condições para que se converta em personagem dramático não pode, ela mesma, servir aos mesmos fins — não é bom material para o drama...

2. *Uma sociedade altamente civilizada* tampouco é a mais indicada para oferecer bom material dramático, pois os personagens devem aparecer como essencialmente livres, capazes de determinar seus próprios destinos, e os homens de uma sociedade desenvolvida estão de pés e mãos atados a todos os tipos de leis, costumes, tradições, instituições etc., e nessa floresta legal não podem facilmente exercer sua liberdade. Com efeito, se Hamlet tivesse medo da polícia, dos advogados, dos tribunais, dos promotores públicos etc., talvez não exteriorizasse os livres movimentos do seu espírito matando Polônio, Laertes e Cláudio. E, segundo Hegel, o personagem dramático necessita de toda sua liberdade! Caramba!

3. Convém esclarecer que *a liberdade não se refere fundamentalmente ao aspecto "físico"*: Prometeu, por exemplo, é um homem (perdão, um deus!) livre. Está acorrentado em uma montanha, impotente diante dos corvos que lhe vêm comer o fígado, que todos os dias renasce para que no dia seguinte voltem os corvos para continuarem o banquete. Prometeu assiste impotente a esse festim diário. Mas Prometeu *pode*! Tem poder suficiente para terminar com esse atroz castigo; basta arrepender-se diante de Zeus, o deus maior, e este o perdoará. A liberdade de Prometeu consiste em que pode terminar com seu próprio suplício no momento em que assim o desejar, mas livremente decide não fazê-lo.

Hegel conta também a história de um quadro de Murillo que mostra uma mãe a ponto de bater em seu filho que, desafiante, continua comendo uma banana. A diferença de poder físico entre a mãe e o filho não impede que o menino tenha liberdade suficiente para enfrentar sua mãe mais poderosa. Por essa razão, pode-se escrever uma peça sobre um personagem que esteja na prisão, desde que ele tenha a liberdade moral de eleger.

Existem outras características que são importantes para a construção de uma obra dramática:

a) A liberdade do personagem que não deve ser exercida sobre o acidental, o menos importante, o contingente, mas sim sobre o mais universal, o mais racional, o mais essencial, o que mais importe à vida humana. A família, a pátria, o Estado, a moral, a sociedade etc. são interesses dignos do espírito humano e portanto da poesia dramática;

b) A arte em geral e a poesia dramática em particular tratam de realidades concretas e não de abstrações: portanto, é necessário que o *particular* se veja no *universal*. A filosofia trata de abstrações, a matemática de números, mas o teatro trata de indivíduos. É pois necessário mostrá-los em toda sua concreção;

c) Justamente porque são universais os interesses gerais com que trabalha o teatro (e não, pelo contrário, características idiossincráticas), essas forças motrizes do espírito humano são eticamente justificáveis. Isto é: a vontade individual de um personagem é a concreção de um valor moral ou de uma opção ética. Exemplo: o desejo concreto de Creonte de não permitir o enterro do irmão de Antígona é a concreção, em termos de vontade individual, da intransigência ética em defesa do bem do Estado; o mesmo pode dizer-se em relação à vontade férrea de Antígona de dar sepultura a seu irmão, que é a concreção de um valor moral, o bem da família. Quando se chocam essas duas vontades individuais, na verdade estão se chocando dois valores morais. É necessário que esse conflito termine em repouso, como quer Hegel, para que a disputa moral possa ser resolvida: quem tem razão? qual é o maior valor? etc. Nesse caso particular, conclui-se que ambos os valores morais são aceitáveis e corretos ainda que nesse caso se apresentem exagerados: o erro não é o valor em si mesmo, mas o seu excesso;

d) Para que ocorra a tragédia, para que seja verdadeiramente *tragédia*, é necessário que os fins perseguidos pelos personagens sejam irreconciliáveis; se por acaso existe uma possibilidade de reconciliação, a obra dramática pertencerá a outro gênero: o *drama*.

De todas essas afirmações hegelianas, a que mais obviamente caracteriza sua Poética é a que insiste no caráter de Sujeito do personagem. Isto é, que todas as ações exteriores têm origem no espírito livre desse personagem.

A MÁ ESCOLHA DE UMA PALAVRA

A Poética marxista de Bertolt Brecht não se contrapõe a uma ou outra questão formal, mas sim à verdadeira essência da Poética idealista hegeliana, ao afirmar que o personagem não é *sujeito absoluto* e sim *objeto de forças econômicas ou sociais*, às quais responde e em virtude das quais atua.

Se fizermos uma análise lógica da ação dramática tipicamente pertencente à Poética hegeliana, diremos que se trata sempre de uma oração simples com sujeito, predicado verbal e objeto direto. Exemplo: "Kennedy invadiu a praia Girón". Aqui o sujeito hegeliano é "Kennedy", cujos movimentos interiores do seu espírito se exteriorizaram de forma a ordenar a invasão de Cuba. "Invadiu" é o predicado verbal e "praia Girón" é o objeto direto.

Se fizermos agora uma análise lógica da ação dramática segundo uma Poética marxista, como a que propõe Brecht, a frase que a explicaria deveria necessariamente conter uma oração principal e uma oração subordinada e nesta o personagem "Kennedy" continuaria sendo sujeito, mas o sujeito da oração principal seria outro. Essa frase seria mais ou menos assim: "Forças econômicas determinaram que o presidente Kennedy invadisse a praia Girón". Creio que está claro o que propõe Brecht: o verdadeiro sujeito são as forças econômicas que atuaram atrás de Kennedy. A oração principal, nesta Poética, é sempre uma inter-relação de forças econômicas. O personagem não é *livre*, em absoluto. É *objeto-sujeito*!

Agora, vejam bem: em toda a Poética hegeliana — em toda e não apenas em uma de suas partes — *o espírito é sujeito*! A poesia épica mostra as ações *determinadas pelo espírito*; a poesia lírica mostra os próprios *movimentos desse espírito*; finalmente, a poesia dramática mostra, diante dos nossos olhos, *o espírito e as suas ações no mundo exterior*. Está claro? Nos três gêneros de poesia ocorre o encontro da subjetividade e da objetividade, mas igualmente nos três gêneros é sempre a subjetividade, são sempre os movimentos interiores da alma, é sempre o *espírito*, é sempre aí que se produz a objetividade. Em toda a Poética hegeliana esse pensamento surge e ressurge, e constantemente se revela.

A objeção de Marx a Hegel e, portanto, de uma Poética marxista a uma Poética idealista, inverte os termos da proposta. Qual dos dois termos precede o outro? Para Brecht, evidentemente a objetividade é anterior. Se, por um lado, para a Poética idealista, o pensamento condiciona o ser social, por outro lado, para a Poética marxista, o ser social condiciona o pensamento social. Para Hegel, o espírito cria a ação dramática; para Brecht, a relação social do personagem cria a ação dramática.

Brecht se contrapõe a Hegel frontalmente, totalmente, globalmente. Portanto é um erro utilizar, para designar sua Poética, um termo que significa um *gênero* da Poética de Hegel. A Poética brechtiana não é simplesmente *épica*: é *marxista* e, sendo marxista, pode ser lírica, dramática *ou* épica. Muitas de suas obras pertencem a um gênero, outras a outro e outras ao terceiro. Na Poética de Brecht existem peças líricas, dramáticas e *também* peças épicas.

O próprio Brecht percebeu seu erro inicial e já em seus últimos escritos começou a chamar sua poética de Poética dialética. O que também é um erro, considerando que igualmente a Poética de Hegel é dialética. Brecht devia chamar a sua por seu nome: *Poética marxista*! Mas, quando pôs em dúvida a designação inicial, já muitos livros haviam sido escritos e já a confusão estava estabelecida.

Utilizando o quadro de diferenças entre a sua Poética e as Poéticas idealistas, que Brecht inclui em seu prefácio a *Mahagonny*, vamos analisar quais são as diferenças de gênero e quais as de espécie... Nesse quadro incluímos também outras diferenças mencionadas por Brecht em outros trabalhos. Esse quadro não é "científico" e muitos dos seus termos são vagos e imprecisos. Mas se tivermos sempre presente a diferença fundamental (Hegel propõe o personagem como *sujeito absoluto* e Brecht o propõe como *objeto*, como porta-voz de forças econômicas e sociais), se tivermos isso bem presente, todas as diferenças secundárias ficarão muito mais claras.

Algumas diferenças mostradas por Brecht referem-se a diferenças reais entre as formas Épica, Dramática e Lírica. Elas são:

1. Equilíbrio subjetividade-objetividade;
2. Forma de enredo, que tende ou não às três unidades;
3. Cada cena determina ou não, casualmente, a próxima cena;
4. Ritmo climático ou ritmo linear narrativo;
5. Curiosidade pelo desenlace ou curiosidade pelo desenvolvimento; *suspense* ou curiosidade científica por um processo;
6. Evolução contínua ou saltos?
7. Sugestões ou argumentos?

Diferenças entre as chamadas formas
"dramáticas" e "épicas" de teatro, segundo Brecht —
quadro tomado do prefácio de *Mahagonny*
e de outros escritos

A *chamada forma "dramática"* *segundo Brecht —* *poética idealista*	A *chamada forma "épica",* *segundo Brecht —* *poética marxista*
1. O pensamento determina o ser (personagem-sujeito);	1. O ser social determina o pensamento (personagem-objeto);
2. O homem é dado como fixo, imanente, inalterável, considerado como conhecido;	2. O homem é alterável, objeto de estudo, está "em processo";
3. O conflito de vontades livres move a ação dramática; a estrutura da peça é uma estrutura de vontades em conflito;	3. Contradições de forças econômicas, sociais ou políticas movem a ação dramática; a peça se baseia em uma estrutura dessas contradições;

4. Cria a *empatia*, que consiste em um compromisso emocional do espectador que lhe retira a possibilidade de agir;

4. *Historiza* a ação dramática, transformando o espectador em observador, despertando sua consciência crítica e capacidade de ação;

5. No final, a catarse purifica o espectador;

5. Através do conhecimento, o espectador é estimulado à ação;

6. Emoção;

6. Razão;

7. No final, o conflito se resolve na criação de um novo esquema de vontades;

7. O conflito não se resolve, e emerge com maior clareza a contradição fundamental;

8. A *harmatia* faz com que o personagem não se adapte à sociedade e é a causa principal da ação dramática;

8. As falhas que o personagem possa ter pessoalmente (*harmatias*) não são nunca a causa direta e fundamental da ação dramática;

9. A *anagnorisis* justifica a sociedade;

9. O conhecimento adquirido revela as falhas da sociedade;

10. A ação é presente;

10. É narração;

11. Vivência;

11. Visão do mundo;

12. Desperta sentimentos.

12. Exige decisões.

O PENSAMENTO DETERMINA O SER OU VICE-VERSA?

Como já vimos, para todas as poéticas idealistas (Hegel, Aristóteles e outros) o personagem já "nasce" com todas as suas faculdades e propenso a certas paixões. Suas características fundamentais são imanentes. Para Brecht, ao contrário, não existe "natureza humana" e, portanto, ninguém é o que é porque sim! É necessário buscar as causas que fazem com que cada um seja o que é. Para esclarecer essa diferença fundamental, podemos citar alguns exemplos de peças de Brecht em que a ação é determinada pela função social que cumpre o personagem. Primeiro, o clássico exemplo do papa dialogando com Galileu Galilei, e mostrando-lhe toda a sua simpatia e todo o seu apoio enquanto seus auxiliares o vestem de papa. Quando já está vestido, o papa revela que, embora do ponto de vista pessoal possa estar de acordo com suas ideias, Galileu terá que voltar atrás em suas opiniões e responder à Inquisição. O papa, enquanto papa, atua como papa.

Eisenhower propôs a invasão do Vietnã, Kennedy começou a torná-la efetiva, e Johnson levou essa guerra a extremos genocidas. Nixon, contra a sua vontade, foi obrigado a fazer a paz. Quem é o criminoso? O presidente dos Estados Unidos da América do Norte. Todos e qualquer um que exerça esse cargo e que seja, portanto, obrigado a tomar as decisões que esse cargo exige e compele.

Outro exemplo: a boa alma Shen Te, pobre prostituta, recebe uma enorme herança e se converte em milionária. Como é uma pessoa boníssima, não pode evitar dar todo o dinheiro que lhe pedem os amigos, parentes e vizinhos, ou simples conhecidos. Mas, como é agora rica, decide assumir uma nova personalidade: Shui Ta, em quem se disfarça, e de quem se diz ser prima. A bondade e a riqueza não podem caminhar juntas. Se um rico pudesse ser bom, fatalmente deixaria de ser rico, porque daria toda sua riqueza, por bondade, aos necessitados.

Nessa mesma peça, um aviador sonha poeticamente com o formoso céu azul. Mas Shen Te (Shui Ta) lhe oferece a invejável posição de capataz de uma fábrica, com ótimo salário. Imediatamente o poético aviador se esquece do céu azul e passa a preocupar-se somente em explorar mais e mais os seus operários, e aumentar seus lucros.

São exemplos de que o ser social, como dizia Marx, determina o pensamento social. Por isso, em momentos críticos, as classes dominantes podem aparentar bondade e podem se tornar reformistas: e aos seres sociais "operários" lhes oferecem um pouco mais de carne e pão, esperando que esses seres sociais, menos famintos, se tornem igualmente menos revolucionários. E esse mecanismo funciona. Não é por outra razão que as classes operárias dos países capitalistas-imperialistas são tão pouco revolucionárias e chegam a ser reacionárias, como a maioria do proletariado norte-americano: trata-se de seres sociais com geladeiras, carros e casas, que certamente não têm os mesmos pensamentos sociais dos seres latino-americanos que, em sua maioria, vivem em favelas, têm fome e nenhuma segurança contra a doença e o desemprego.

É ALTERÁVEL O HOMEM?

Em *Um homem é um homem*, Brecht mostra Galy Gay, um bom homem que desconhece quem foram seu pai e sua mãe, um ser obediente que uma bela manhã sai de sua casa para comprar um peixe para o almoço. Na metade do caminho, se encontra com uma patrulha de três soldados que perderam de vista o quarto soldado, do qual necessitam para poder voltar ao quartel. Agarram Galy Gay e o fazem vender um elefante a uma velha, para comprometê-lo. Como não têm elefante à mão, dois dos soldados se disfarçam de elefante. A velha concorda em comprar o elefante, pelo qual paga algum dinheiro, e o pobre Galy Gay se convence de que um elefante é qualquer coisa que alguém esteja disposto a comprar como sendo elefante, desde que apareça o dinheiro. Vendendo esse elefante, Galy Gay comete o ato de roubar, já que se tratava de um elefante de Sua Majestade.

O pobre Galy Gay, que em uma bela manhã saiu de casa para comprar um peixe para o almoço, rouba um elefante que não é elefante, vende-o a uma velha que não era uma compradora e, para não ser castigado, abandona sua identidade e se disfarça de Jeriah Jip, converte-se em Jeriah Jip e termina como herói de guerra, atacando ferozmente seus inimigos e afirmando sentir um atávico e ancestral desejo de sangue! Diante dos espectadores, diz Brecht, mostra-se e se desmonta um ser humano, uma "natureza humana".

Para que fique claro, Brecht não afirma que em outras Poéticas o ser humano não se modifica jamais. Em Aristóteles mesmo, o herói termina por compreender seu erro e por modificar-se. Mas Brecht propõe uma modificação mais ampla e total: Galy Gay não é Galy Gay, não existe, pura e simplesmente — Galy Gay não é Galy Gay, que é tudo o que Galy Gay, em situações determinadas, concretas, é capaz de fazer.

Em "A infância de um chefe", Sartre mostra um jovem que, por casualidade e sem convicção, afirma que não gosta de determinada pessoa porque se trata de um judeu. Divulga-se em seguida que ele não gosta de judeus. Em uma festa, é apresentado a um senhor e, ao saber que é um judeu, o futuro chefe retira sua mão e não o cumprimenta. Mais tarde, esse senhor se converte em um furioso antissemita.

Nos procedimentos de Sartre e Brecht, existe muito em comum e existem muitas diferenças. É comum o fato de que o antissemitismo, como o heroísmo de Galy Gay, não são imanentes, não nasceram com os personagens, não são faculdades aristotélicas transformadas em paixões e em hábitos, mas, ao contrário, são características acidentalmente adquiridas na vida social. Mas existem diferenças fundamentais: o Chefe evolui realisticamente, psicologicamente, através de uma sequência de causas e efeitos, enquanto o herói brechtiano é dissecado, é montado, desmontado e remontado. Não existe aqui nenhum realismo: existe uma demonstração quase científica através de meios artísticos.

Conflito de vontade ou contradição de necessidades?

Como já vimos, não importa quem seja o presidente dos Estados Unidos, pois sempre terá que defender os interesses imperialistas mais reacionários. Sua vontade individual nada determina. A ação não se desenvolve como se desenvolve porque ele é como é: se desenvolveria da mesma maneira, ainda que ele fosse completamente diferente do que é.

É necessário esclarecer a possível confusão originada no fato de que também Hegel insiste em que o conflito trágico é uma inevitabilidade, uma *necessidade*. Aqui, ele fala de necessidade, sim, mas de uma necessidade de natureza *moral*. Isto é, moralmente os personagens não podem evitar ser o que são e fazer o que fazem. Brecht, ao contrário, não fala de necessidades morais, mas sim de necessidades sociais ou econômicas. Mauler se faz de bom ou de mau, absolve ou manda matar, não por características pessoais de bondade ou maldade, não por pensar desta ou daquela forma, mas sim porque se trata de um burguês que tem que aumentar cada vez mais o seu lucro. Quando a mulher de Dullfeet, assassinado por Arturo Ui, com ele se encontra, tem vontades psicológicas de cuspir-lhe na cara, mas vem como *proprietária* e termina ao seu lado, os dois de braços dados, com as caras muito satisfeitas, seguindo o caixão do morto: assassino e viúva são sócios e, então, que importam seus sentimentos pessoais? Eles têm que se amar, sempre em busca do lucro máximo!

Brecht não quer dizer que as vontades individuais não intervêm nunca: quer afirmar, isso sim, que não são nunca o fator determinante da ação dramática fundamental. Neste último caso citado, por exemplo, a jovem viúva, quando começa a cena, deixa livre sua vontade psicológica, seu ódio contra Ui, e toda a cena se transforma quando, pouco a pouco, Ui lhe demonstra a inoperância das vontades e a determinação inflexível das necessidades sociais. A cena se desenvolve, a ação dramática se desenvolve através da contradição de necessidades sociais (nesse caso, e quase sempre no capitalismo, trata-se do desejo de lucro crescente).

EMPATIA OU O QUÊ? EMOÇÃO OU RAZÃO

Como vimos no Sistema Trágico Coercitivo de Aristóteles, *empatia* é a relação emocional que se estabelece entre personagens e espectadores, e que provoca, fundamentalmente, a delegação de poderes por parte destes que se transformam em objetos daqueles: tudo o que acontece com o personagem, acontece *vicariamente* com o espectador; tudo o que pensa o personagem, pensa *vicariamente* o espectador.

No caso de Aristóteles, a empatia que preconiza consiste numa ligação emocional que se refere a duas emoções básicas: piedade e terror. A primeira nos liga a um personagem que sofre um destino trágico imerecido (considerando suas múltiplas virtudes) e a segunda se refere ao fato de que o personagem sofre as consequências de possuir uma falha que nós igualmente possuímos.

Mas a empatia não se refere obrigatoriamente a essas duas emoções, e pode-se realizar através de qualquer outra. A única coisa importante a observar na empatia é que o espectador assume uma atitude "passiva", delegando sua capacidade de ação. Mas a emoção ou as emoções que provocam esse fenômeno podem ser quaisquer: medo (ver filmes de vampiro), sadismo, desejo sexual pela estrela, ou o que seja.

Convém igualmente observar que, já em Aristóteles, a empatia não se apresentava sozinha, mas sempre simultaneamente com outro tipo de relação: *dianoia* (pensamento do personagem-*pensamento* do espectador). Isto é, a empatia era o resultado do *éthos*, mas a ação da *dianoia* também provocava o que John Gassner chamou de *enlightenment* e que se poderia traduzir como "esclarecimento" ou algo parecido.

O que afirma Brecht é que, nas peças idealistas, a emoção atua por si mesma, produzindo o que ele chama de *orgias emocionais*, enquanto as Poéticas materialistas, cujo objetivo não é tão somente o de interpretar o mundo mas também o de transformá-lo e tornar esta terra finalmente habitável, têm a obrigação de mostrar como pode este mundo ser transformado.

Uma boa empatia não impede a compreensão e, pelo contrário, necessita da compreensão, justamente para evitar que o espetáculo se converta em uma *orgia emocional* e que o espectador possa purgar seu pecado social. O que faz Brecht, fundamentalmente, é colocar a ênfase na compreensão (*enlightenment*), na *dianoia*.

Em nenhum momento, Brecht fala contra a emoção, ainda que fale sempre contra a *orgia emocional*. "Seria absurdo negar emoção à ciência moderna", diz, esclarecendo que sua posição é inteiramente favorável à emoção que nasce do conhecimento, e contra a emoção que nasce da ignorância. Diante de um quarto escuro de onde parte um grito, uma criança pode assustar-se: Brecht é contra que se emocione o espectador com cenas desse tipo. Mas se Einstein descobre que $E = mc^2$, que é a fórmula de transformação da matéria em energia, essa é uma emoção extraordinária! Brecht está totalmente a favor desse tipo de emoção. Aprender é emocionante e não existe razão para que a emoção seja evitada. Mas, ao mesmo tempo, a ignorância causa emoções, e deve-se evitar essas emoções, como se deve evitar a ignorância; ambas devem ser combatidas.

Como não vai o espectador emocionar-se com a Mãe Coragem, que perde os seus filhos, um a um, na guerra? É inevitável que nos emocionemos todos até às lágrimas. Mas deve-se combater sempre a emoção causada pela ignorância: que ninguém chore a *fatalidade* que levou os filhos da Mãe Coragem, mas sim que se chore de raiva contra o comércio da guerra, porque é esse comércio que rouba os filhos à Mãe Coragem.

Outra comparação poderá esclarecer melhor: existe uma semelhança notável entre *Viajantes para o mar*, do irlandês J. M. Synge, e *Os fuzis da senhora Carrar*. As duas peças são tremendamente emocionantes. As duas histórias muito parecidas: duas mães que perdem seus filhos no mar. Na peça de Synge, é o próprio mar o assassino; as ondas são a fatalidade! Na de Brecht, são os soldados fascistas que disparam contra pescadores inocentes. A peça de Synge produz uma violenta emoção causada pelo mar desconhecido, impenetrável, fatal; a de Brecht, profunda emoção de ódio contra Franco e seus sequazes. Nos dois casos aflora a emoção, mas de distintas cores, por distintas causas e com distintos resultados.

É necessário insistir: o que Brecht não quer é que os espectadores continuem pendurando o cérebro junto com o chapéu, antes de entrarem no teatro, como o fazem os espectadores burgueses.

Catarse e repouso, ou conhecimento e ação?

Diz Hegel: "Ao tumulto de paixões e ações humanas, que constituem a obra dramática, *sucede o repouso*". Aristóteles propõe o mesmo: um sistema de vontades, que representam concretamente, individualmente, os valores éticos justificáveis, entram em colisão, porque um dos personagens possui uma falha trágica ou comete um erro trágico. Depois da catástrofe, quando a falha é purgada, necessariamente volta a serenidade, é restabelecido o equilíbrio. Os dois filósofos parecem dizer que o mundo retoma sua perene estabilidade, seu infinito equilíbrio, seu eterno repouso.

Brecht era marxista: por isso, para ele, uma peça de teatro não deve terminar em repouso, em equilíbrio. Deve, pelo contrário, mostrar por que caminhos se desequilibra a sociedade, para onde caminha e como apressar sua transição.

Num estudo sobre teatro popular, Brecht afirma que o artista popular deve abandonar as salas centrais e dirigir-se aos bairros, porque só aí vai encontrar os homens que estão verdadeiramente interessados em transformar a sociedade; nos bairros, deve mostrar suas imagens da vida social aos operários, que estão interessados em transformar essa vida social, já que são suas vítimas. Um teatro que pretende transformar os transformadores da sociedade não pode terminar em repouso, não pode restabelecer o equilíbrio. A polícia burguesa procura restabelecer o equilíbrio, impor o repouso: um artista marxista, ao contrário, deve propor o movimento em direção à liberação nacional e à liberação das classes oprimidas pelo capital. Hegel e Aristóteles purgam as características *anti-establishment* de seus espectadores. Brecht clarifica conceitos, revela verdades, expõe contradições e propõe transformações. Os primeiros desejam uma quieta sonolência ao final do espetáculo: Brecht deseja que o espetáculo teatral seja o início da ação, o equilíbrio deve ser buscado transformando-se a sociedade e não purgando o indivíduo dos seus justos reclamos e de suas necessidades.

No que diz respeito a essa característica, vale a pena discutir o final da peça *Os fuzis da senhora Carrar*, tantas vezes chamada de "peça aristotélica". Por que se afirma tal coisa? Porque se trata de uma peça realista, que obedece às famosas "três unidades", de tempo, lugar e ação. Mas aí terminam as pretensas características aristotélicas dessa peça. Quando se diz que *Os fuzis da senhora Carrar* é aristotélica porque a heroína se purga de uma falha, argumenta-se falsamente, eludindo-se a essência do problema. Por isso é necessário repetir: a catarse retira do personagem (e por isso do espectador, que é empaticamente manobrado pelo personagem) sua capacidade de ação. Isto é, retira o orgulho, a prepotência, a unilateralidade no amor aos deuses etc., que podem levar a sociedade a atitudes transformadoras; ao contrário, Carrar se *purga* da não ação: sua ignorância impedia que ela atuasse em favor da causa justa, e por isso desejava a neutralidade na qual acreditava e tentava abster-se, negando-se a oferecer os fuzis que tinha guardados.

O personagem trágico grego perde suas características ativas; a senhora Carrar, ao contrário, empenha-se ativamente na guerra civil, porque, enquanto a *anagnorisis* justifica a sociedade, "o *conhecimento* adquirido revela as falhas, não do personagem, mas sim da sociedade que deve ser modificada". Ou, outra vez em palavras do próprio Brecht, "o teatro idealista desperta sentimentos, enquanto o teatro marxista exige decisões". A senhora Carrar se decide e começa a agir. Portanto, não é aristotélica.

COMO INTERPRETAR AS NOVAS PEÇAS?

Melhor que explicar longamente qual relação Brecht propõe para substituir a relação de natureza emocional, paralisante, que ele condenava no teatro burguês alemão, ou burguês de qualquer outra nacionalidade, será transcrever alguns versos de um poema que escreveu em 1930, "Sobre o teatro de todos os dias":

Olhem aquele homem na rua, olhem-no;
ele está mostrando como ocorreu o acidente, e submete o chofer
    à sentença da multidão,
pela forma como dirigia, imprudentemente.
Olhem agora: está fazendo o papel de atropelado
(pelo que se pode deduzir, era um ancião).
Dos dois personagens, o chofer e o ancião,
este homem mostra tão somente o essencial para que se
    compreenda como foi o desastre.
— E isso basta para apresentar os dois diante de vocês.
Nada mais é necessário.
Mostra que era possível evitar o acidente; e o acidente é
    compreendido,
embora seja incompreensível,
pois tanto um como o outro podiam ter agido de outra forma.
Olhem-no: agora o homem está mostrando como cada um dos
    dois personagens podia ter agido para evitar o acidente.
Nada de superstições no seu testemunho ocular: ele não atribui
    o destino humano a nenhuma estrela, tão somente a falhas
    cometidas, falhas próprias.

Observem ainda

a seriedade e o cuidado da representação: ele sabe que da sua
fidelidade dependem muitas coisas:

que não se arruíne o inocente, e que a vítima tenha indenização.

Olhem-no agora repetindo o que já fez:

quando tem alguma dúvida,

faz um esforço de memória, sem estar muito certo de haver
representado bem,

e pede a este ou aquele que o corrija.

Esse detalhe, olhem com respeito:

com admiração devem notar que esse imitador

não se perde em nenhum papel.

Não se confunde jamais com o personagem que está
interpretando, permanece como intérprete,

sempre, sem confusões.

Os personagens não lhe fizeram nenhuma confidência, e com
eles, ele não comparte nenhum sentimento ou ponto de
vista:

deles sabe muito pouco.

De sua interpretação não nasce ninguém, filho de intérprete e de
interpretado, pulsando com um só coração, pensando
como um só cérebro:

sua forte personalidade é a de um intérprete

que interpreta a dois vizinhos estranhos!

Nos vossos teatros

a fabulosa transformação que se pretende que ocorra entre o
camarim e o cenário

— um ator sai do camarim, um rei entra no palco —

esse truque mágico

(que, como já tantas vezes vi, provoca

boas gargalhadas nos maquinistas que se riem enquanto tomam
suas cervejas)

aqui, neste caso, aqui não tem cabida.

Nosso ator, num canto da rua,

não é nenhum sonâmbulo com quem ninguém pode falar;

não é nenhum sumo sacerdote no seu divino ofício...

Podem interrompê-lo em qualquer momento,
e certamente ele lhes responderá com toda calma,
prosseguindo depois com sua exibição.
Mas, senhores, não digam:
"Este homem não é um ARTISTA!"
Porque se vocês puserem tamanha barreira
entre vocês e o mundo,
"VOCÊS FICARÃO FORA DO MUNDO";
se vocês não lhe derem o título de artista,
talvez ele, a vocês, não lhes dê o título de homens.
A restrição que lhes pode fazer ele a vocês é muito mais grave
     do que a que lhes podem fazer vocês a ele, por isso digam:
É UM ARTISTA PORQUE É UM SER HUMANO.

O poema segue e diz muito mais coisas, mas a nós por ora nos basta o que aqui se transcreve. Isso já esclarece muito bem as diferenças que existem entre o artista burguês, sumo sacerdote, o artista eleito, o único (que justamente por ser único pode ser vendido ao melhor preço: a estrela cujo nome aparece antes do título da peça, antes do assunto, do tema, do conteúdo do que se vai ver) e, do lado oposto, o outro artista, o homem: o homem que, por ser homem, é capaz de ser o que os homens são capazes de ser. A arte é imanente a todos os homens e não apenas a alguns eleitos; a arte não se vende como não se vende o respirar, o pensar e o amor. A arte não é uma mercadoria. Mas, para a burguesia, tudo é mercadoria: o homem é uma mercadoria. E se o homem é uma mercadoria, será igualmente mercadoria tudo o que o homem produzir. Todo o sistema burguês se prostitui, o amor e a arte. O homem é a suprema prostituta burguesa!

O DEMAIS NÃO IMPORTA:
SÃO PEQUENAS DIFERENÇAS FORMAIS ENTRE OS TRÊS GÊNEROS

As demais diferenças que Brecht assinala entre sua proposta de teatro e as propostas aceitas em seu momento são simples diferenças entre os três gêneros possíveis de poesia.

Hegel e Brecht: personagem-sujeito ou personagem-objeto?

Por exemplo: no que se refere ao equilíbrio entre a subjetividade e a objetividade, também pode ocorrer o predomínio objetivo (épica), subjetivo (lírica) ou o equilíbrio (dramática). Nesse caso, é evidente que personagens como Mãe Coragem, a senhora Carrar, Galileu Galilei, Mauler e outros personagens "dramáticos" são objetos de forças econômicas que atuam na realidade e, por sua vez, eles mesmos atuam sobre a realidade. Ao contrário, personagens como o Coolie, ou o Comerciante de *A exceção e a regra*, os companheiros da *Decisão*, Galy Gay, Shui Ta e outros, são personagens nos quais predomina nitidamente o caráter de "porta-voz objetivo": a *subjetividade* desses personagens está atrofiada em função da clareza de exposição. No extremo oposto, a *subjetividade* reina desenfreada nos personagens líricos de *Na selva das cidades* e de outras obras ainda expressionistas. O expressionismo "expressa" subjetivamente o real, sem mostrá-lo. Quanto à tendência a concentrar a ação, o tempo e o lugar, observado por Brecht nas Poéticas anteriores, isso é verdade apenas no que se refere às peças "dramáticas" anteriores. As obras "líricas" (expressionistas, surrealistas etc.) não tendem a essa obediência, como tampouco o faziam as obras shakespearianas e isabelinas em geral. A concentração a que se refere Brecht é própria tão somente do gênero dramático e está totalmente excluída dos gêneros lírico e épico. Mas é própria do gênero dramático *nas duas Poéticas*, idealista ou materialista, hegeliana ou marxista.

Todas as peças características de que nos fala Brecht são igualmente características do "gênero" dramático e não da "Poética" hegeliana ou brechtiana. Evolução contínua ou em saltos? Não se pode dizer que o desenvolvimento de *A viagem de Pedro, o Afortunado*, de Strindberg, tenha um desenvolvimento contínuo, com seus personagens surrealisticamente transformando-se em animais ou em coisas semelhantes. E que dizer de filmes como *O gabinete do Dr. Caligari*, *Metrópolis* etc.? Frequentemente, as peças idealistas de estilo altamente subjetivo perdem seus compromissos com a credibilidade, com a objetividade: é algo próprio a esses estilos que, no surrealismo, chega ao paroxismo do não compromisso com o real.

O mesmo no que se refere a que "Cada cena determina casualmente a próxima cena" ou não. Isso é verdade para as peças dramáticas, mas não para as peças épicas... ou líricas.

122   Augusto Boal

O item nº 5 diz que na poética brechtiana existe uma curiosidade científica pelo processo e não uma curiosidade mórbida pelo desenlace. E isso é verdade. Mas é necessário tomá-lo dentro de toda sua relatividade: não se pode dizer que não exista curiosidade pelo desenlace do julgamento de Azdak (com quem ficará finalmente o menino Miguel? qual é a "verdadeira" mãe?). A mórbida curiosidade existe na sua plenitude (em caráter exclusivo) tão somente nas peças policiais *à la* Agatha Christie ou filmes *à la* Hitchcock, com ou sem vampiros. Da mesma maneira que existe "suspense" no julgamento de Azdak ou na morte da filha muda da Mãe Coragem, existe profunda curiosidade científica pelo desenvolvimento dos mecanismos burgueses liberais de *O inimigo do povo*. Brecht lutava pela instauração de uma nova Poética e, portanto, necessariamente radicalizava suas posições e suas afirmações. Mas essa radicalização necessária tem que ser entendida dialeticamente. Porque o mesmo Brecht era o primeiro a fazer, aparentemente, o contrário do que ele mesmo predicava, sempre que necessário. Repito: sempre que necessário.

Também o último item é bastante impreciso: sugestões ou argumentos? Brecht não quer dizer que, antes dele, nenhum outro autor utilizou argumentos em suas peças, e sim apenas sugestões. O pensamento brechtiano ficará mais claro se reproduzimos uma frase sua muito esclarecedora: "O dever do artista não é o de mostrar como são as coisas verdadeiras e sim o de mostrar como verdadeiramente são as coisas". Como fazê-lo? E para quem fazê-lo? Ninguém nos explica melhor que o próprio Brecht:

"Nós, filhos de uma época científica, temos que assumir uma posição crítica diante do mundo. Diante de um rio, nossa atitude crítica consiste no seu aproveitamento; diante de uma árvore frutífera, em enxertá-la; diante do movimento, nossa atitude crítica consiste em construir veículos e aviões; diante da sociedade, EM FAZER A REVOLUÇÃO. Nossas representações da vida social devem estar destinadas aos técnicos fluviais, aos cuidadores das árvores, aos construtores de veículos e aos revolucionários. Nós os convidamos para que venham aos nossos teatros e lhes pedimos que não se esqueçam de suas ocupações (alegres ocupações), para que nos seja possível entregar o mundo e nossa visão do mundo às suas mentes e aos seus corações, PARA QUE

Hegel e Brecht: personagem-sujeito ou personagem-objeto?

ELES MODIFIQUEM O MUNDO AO SEU CRITÉRIO" (as maiúsculas são minhas).

EMPATIA OU *OSMOSIS*?

A empatia tem que ser entendida como a arma terrível que realmente é. A empatia é a arma mais perigosa de todo o arsenal do teatro e de artes afins (cinema e TV).

Seu mecanismo, às vezes insidioso, consiste em justapor duas pessoas (uma fictícia, outra real), dois universos, e fazer com que uma dessas pessoas (a real, o espectador) ofereça à outra, a fictícia (o personagem), seu poder de decisão.

O *homem abdica*, em favor da *imagem*, do seu poder de decisão.

Mas existe aqui algo monstruoso: o homem, quando elege, elege em uma situação real, vital, elege em sua própria vida; o personagem quando elege (e por isso, quando induz o homem a eleger), elege em uma situação fictícia, irreal, desprovida de toda densidade de fatos, matizes e complicações que a vida oferece. Isso faz com que o homem, real, eleja segundo situações e critérios irreais.

A justaposição de dois universos (real e fictício) produz igualmente outros efeitos agressivos: *o espectador vivencia a ficção e incorpora elementos da ficção.* O espectador, que é homem real e vivo, assume como realidade e como vida o que se lhe apresenta na obra de arte como arte: *osmosis estética.* Exemplicando: o universo do Tio Patinhas está cheio de dinheiro, de problemas causados pelo dinheiro, de ânsia de ter e de guardar dinheiro etc. O Tio Patinhas é um personagem muito simpático e por isso cria *empatia* com seus leitores ou com os espectadores dos filmes em que aparece. Por essa empatia, pelo fenômeno da justaposição de dois universos, os espectadores passam a viver como reais, como suas, essas ânsias de lucro, essa capacidade de tudo sacrificar pelo dinheiro; o público adota as regras do jogo, como ao jogar qualquer jogo.

Nas películas de faroeste é fora de dúvida que a capacidade de usar o revólver, a perícia de quebrar um prato voando com um só tiro ou a força para nocautear dez inimigos com poucos tabefes, cria a mais profunda empatia entre esses cowboys e os meninos das matinês infantis. Isso ocorre mesmo que se trate de um público mexicano olhando dez mexicanos nocauteados em defesa de sua terra. Os meninos, empaticamente, abandonam seu próprio universo, sua necessidade de defender sua terra, e assumem, *empaticamente*, o universo do invasor ianque, seu desejo de conquistar terras alheias.

A empatia funciona mesmo que exista uma colisão de interesses entre o universo fictício e o universo real dos espectadores. Por isso existe censura: para impedir que um *universo* indesejável se justaponha ao universo dos espectadores.

Uma história de amor, por mais simples que seja, pode ser o veículo de valores de outro universo que não o do espectador. Estou convencido de que Hollywood causa muito mais dano aos nossos países com as películas *inocentes* do que com as que diretamente tratam de temas mais ou menos políticos. As histórias de amor idiotas do tipo *Love Story* são mais perigosas, dado que sua penetração ideológica se faz subliminarmente: o herói romântico trabalha incansavelmente para poder merecer o amor de sua amada; o mau patrão se regenera e passa a ser bom (mas continua sendo patrão) etc.

O mais recente êxito da TV ianque, *Sesame Street* [*Vila Sésamo*] é uma amostra evidente da "solidariedade" norte-americana em relação aos nossos pobres países subdesenvolvidos: eles querem nos ajudar a nos educarmos e nos emprestam seus métodos educativos... Mas como educam? Mostrando um universo em que os meninos aprendem. Que aprendem? Claro, as letras, as palavras etc. Aprendizagem feita à base de historietas em que se mostram crianças aprendendo a usar o dinheiro, a economizar dinheiro nos seus cofrezinhos, e em que se explicam as diferenças entre um cofre caseiro e um banco etc. Assuntos e temas escolhidos entre os valores de uma sociedade capitalista competitiva. Os pequenos e indefesos espectadores são expostos a esse mundo competitivo, organizado, coerente e coercitivo! Assim nos educam. Por *osmosis*!

Buenos Aires, julho de 1973

Poética do Oprimido

No princípio, o teatro era o canto ditirâmbico: o povo livre cantando ao ar livre. O carnaval. A festa.

Depois, as classes dominantes se apropriaram do teatro e construíram muros divisórios. Primeiro, dividiram o povo, separando atores de espectadores: gente que faz e gente que observa. Terminou-se a festa! Segundo, entre os atores, separou os protagonistas das massas: começou o doutrinamento coercitivo!

O povo oprimido se liberta. E outra vez conquista o teatro. É necessário derrubar muros! Primeiro, o espectador volta a representar, a atuar: Teatro Invisível, Teatro Fórum, Teatro Imagem etc. Segundo, é necessário eliminar a propriedade privada dos personagens pelos atores individuais: Sistema Coringa.

Com estes dois ensaios procuro fechar o ciclo deste livro. Neles se mostram alguns dos caminhos pelos quais o povo reassume sua função protagônica no teatro e na sociedade.

A) UMA EXPERIÊNCIA
DE TEATRO POPULAR NO PERU

Em 1973, o Governo Revolucionário Peruano iniciou um plano nacional de alfabetização integral, com o objetivo de erradicar o analfabetismo em um prazo aproximado de quatro anos. Supõe-se que haja, no Peru, entre três e quatro milhões de analfabetos ou semianalfabetos, em uma população de catorze milhões de pessoas.[1]

Em toda parte, ensinar um adulto a ler e a escrever é um problema delicado e difícil. No Peru, talvez seja mais difícil ainda, considerando-se o enorme número de línguas e dialetos que falam os seus habitantes. Segundo estudos recentes, calcula-se que existem pelo menos quarenta e um dialetos das duas principais línguas indígenas, o quechua e o aymará. Investigações feitas na província de Loreto, ao norte do país, chegaram a constatar a existência de quarenta e cinco línguas distintas nessa região. Quarenta e cinco *línguas* e não apenas dialetos. E isso numa província que é, talvez, a menos povoada do país.

Essa enorme variedade de línguas certamente facilitou a compreensão, por parte dos organizadores do Programa de Alfabetização Integral (ALFIN), de que os analfabetos não são "pessoas que não se expressam", mas simplesmente são pessoas incapazes de se expressarem em uma linguagem determinada, que é o idioma castelhano, nesse caso. É importante compreender que *todos os idiomas são linguagem, mas nem todas as linguagens são idiomáticas*! Existem muitas linguagens além de todas as línguas faladas e escritas.

---

[1] Esta experiência foi realizada com a inestimável colaboração de Alicia Saco, dentro do Programa de Alfabetização Integral (ALFIN) dirigido por Alfonso Lizarzaburu, e com a participação, nos diversos setores, de Estela Liñares, Luis Garrido Lecca, Ramón Vilcha e Jesus Ruiz Durand, entre outros, em agosto de 1973, nas cidades de Lima e Chaclacayo. O método de alfabetização utilizado pelo ALFIN era, naturalmente, inspirado em Paulo Freire. — (Buenos Aires, março de 1974)

O domínio de uma nova linguagem oferece, à pessoa que a domina, *uma nova forma de conhecer a realidade* e de transmitir aos demais esse conhecimento. *Cada linguagem é absolutamente insubstituível.* Todas as linguagens se complementam no mais perfeito e amplo conhecimento do real. Isto é, a realidade é mais perfeita e amplamente conhecida através da soma de todas as linguagens capazes de expressá-la.

O ensino de uma linguagem deve necessariamente partir desse pressuposto. E isso era perfeitamente compreendido e considerado pelo projeto ALFIN, que considerava os seguintes pontos essenciais:

1. Alfabetizar na língua materna e em castelhano, sem forçar o abandono daquela em benefício desta;

2. Alfabetizar em todas as linguagens possíveis, especialmente artísticas, como o teatro, a fotografia, os títeres, o cinema, o jornalismo etc. (Ver quadro de diversas linguagens, ao final deste ensaio.)

A preparação dos alfabetizadores, selecionados nas mesmas regiões onde se pretendia alfabetizar, desenvolveu-se em quatro etapas, segundo as características específicas de cada grupo social:

1. *Barriadas* ou *pueblos jóvenes*, que correspondem às nossas favelas (*cantegril, villamiseria...*);

2. Regiões rurais;

3. Regiões mineiras;

4. Regiões onde a língua materna não era o castelhano, e que incluem 40% da população. Destes 40%, metade está constituída por cidadãos bilíngues que aprenderam o castelhano depois de terem dominado a língua materna indígena. A outra metade não fala castelhano.

O plano ALFIN ainda está começando e é demasiado cedo para avaliar seus resultados. Neste trabalho, quero tão somente relatar o que foi minha participação pessoal no setor de teatro e contar todas as experiências que fizemos, considerando o teatro como *linguagem*, apto para ser utilizado por qualquer pessoa, tenha ou não atitudes artísticas. Quero mostrar, através de exemplos práticos, como pode o teatro ser posto a serviço dos oprimidos, para que estes se expressem e para que, ao utilizarem essa nova linguagem, descubram igualmente novos conteúdos.

Uma experiência de teatro popular no Peru

Para que se compreenda bem esta *Poética do Oprimido*, deve-se ter sempre presente seu principal objetivo: transformar o povo, "espectador", ser passivo no fenômeno teatral, em sujeito, em ator, em transformador da ação dramática. Espero que as diferenças fiquem bem claras: Aristóteles propõe uma Poética em que os espectadores delegam poderes ao personagem para que este atue e pense em seu lugar; Brecht propõe uma Poética em que o espectador delega poderes ao personagem para que este atue em seu lugar, mas se reserva o direito de pensar por si mesmo, muitas vezes em oposição ao personagem. No primeiro caso, produz-se uma "catarse"; no segundo, uma "conscientização". O que a *Poética do Oprimido* propõe é a própria ação! O espectador não delega poderes ao personagem para que atue nem para que pense em seu lugar, ao contrário, ele mesmo assume um papel protagônico, transforma a ação dramática inicialmente proposta, ensaia soluções possíveis, debate projetos modificadores: em resumo, o espectador ensaia, preparando-se para a ação real. Por isso, eu creio que o teatro não é revolucionário em si mesmo, mas certamente pode ser um excelente "ensaio" da revolução. O espectador liberado, um homem íntegro, se lança a uma ação! Não importa que seja fictícia: *importa que é uma ação.*

Penso que todos os grupos teatrais verdadeiramente revolucionários devem transferir ao povo *os meios de produção teatral*, para que o próprio povo os utilize *à sua maneira e para os seus fins*. O teatro é uma arma e é o povo quem deve manejá-la!

Como deve, porém, ser feita essa transferência? Quero começar dando um exemplo do que fez Estela Liñares, orientadora do setor de fotografia do ALFIN.

Qual seria a velha maneira de se utilizar a fotografia num plano de alfabetização? Sem dúvida, seria fotografar coisas, ruas, pessoas, panoramas, comércios etc., mostrar essas fotos aos alfabetizandos e discuti-las. Quem tiraria as fotos? Os alfabetizadores, capacitadores ou instrutores. Mas quando se trata de entregar ao povo os meios de produção, deve-se entregar, nesse caso, a máquina fotográfica. Assim se fez no ALFIN. Entregava-se uma máquina às pessoas do grupo que se estava alfabetizando, ensinava-se a todos a utilizá-la e se faziam propostas: "Nós vamos fazer perguntas a vocês. Nossas perguntas vão ser feitas em castelhano, e vocês vão nos responder. Mas vocês não podem responder em castelhano: vocês têm que '*falar*' em fotografia. Nós vamos perguntar coisas na língua castelhana, que é uma linguagem. E vocês vão nos responder em fotografia, que também é uma linguagem".

As perguntas que se faziam eram muito simples e as *respostas*, isto é, as fotos, eram depois discutidas pelo grupo. Por exemplo: quando se perguntou: "Onde é que você vive?", obtiveram-se *fotos-respostas* dos seguintes tipos:

1. Uma foto mostrando o interior de uma choça. Em Lima, praticamente não chove nunca e por isso as palhoças são feitas de esteira de palha, em lugar de paredes e tetos. Em geral, são feitas num só ambiente que serve de cozinha, sala e dormitório; as famílias vivem na maior promiscuidade, sendo muito frequente que os filhos menores assistam às relações sexuais de seus pais, o que faz com que seja muito comum que irmãos e irmãs de dez ou doze anos de idade pratiquem o sexo entre si, simplesmente por imitar seus pais. Uma foto que mostre o interior de uma choça responde perfeitamente à pergunta "Onde é que você vive?". Todos os elementos de cada foto possuem um significado especial que deve ser discutido por todos os participantes do grupo: os objetos enfocados, o ângulo escolhido para tirar a foto, a presença ou ausência de pessoas na foto etc.

2. Para responder à mesma pergunta, um homem tirou uma foto da margem do rio Rímac. A discussão em grupo esclareceu o significado: o rio Rímac, que cruza Lima, cresce muito em certas épocas do ano. Isso torna extremamente perigosa a vida nas suas margens, já que é frequente o desmoronamento de grandes extensões de terra, superpovoada de choças, e a consequente perda de vidas humanas. É muito comum também que crianças caiam no rio enquanto brincam e, quando estão altas as águas, é quase impossível salvar as pequenas vítimas. Quando um homem responde a essa pergunta com essa foto, está contundentemente expressando toda a sua angústia: como poderá trabalhar em paz se o seu filho está brincando na beira do rio e talvez se afogando?

3. Outro homem tirou uma foto de uma parte desse mesmo rio, onde os pelicanos costumam vir comer o lixo que se acumula, em épocas de grande fome; os homens, igualmente famintos, capturam os pe-

licanos, matam-nos e comem-nos. Mostrando essa foto, esse homem expressava, com uma grande riqueza linguística, que vivia em um lugar onde se bendizia a fome daquelas aves porque esta atraía os pelicanos, que, caçados, saciavam sua própria fome.

4. Uma mulher, que havia emigrado de um pequeno povoado interiorano, respondeu com uma foto da "rua" principal da favela onde morava: de um lado da rua viviam os antigos habitantes limenhos, do outro lado os que vinham do interior do país. De um lado, os que sentiam seus empregos ameaçados pelos recém-chegados; do outro lado, os pobres que tudo deixaram para trás, em busca de trabalho. A rua dividia esses irmãos, igualmente explorados, que se encontravam frente a frente, como se fossem inimigos. A foto ajudava a constatar sua semelhança: miséria dos dois lados. As fotos dos bairros elegantes, por outro lado, mostravam os verdadeiros inimigos. A foto da rua divisória mostrava a necessidade de reorientar a violência que pobres exerciam contra pobres. O exame e a discussão dessa foto ajudava a sua autora e os demais a compreender sua realidade.

5. Um dia um homem tirou uma fotografia do rosto de uma criança de poucos meses, como resposta à mesma pergunta. Claro, todos pensaram que esse homem tinha se enganado, e reiteraram a pergunta:

"— Você não entendeu bem: o que nós queremos é que nos mostre onde é que você mora, onde vive. Queremos que tire uma fotografia mostrando onde é que você vive, nada mais. Qualquer foto serve: da rua, da casa, da cidade, do rio..."

"— Esta aqui é a minha resposta: eu vivo aqui..."

"— Mas é uma criança..."

"— Olha bem no rosto dela: tem sangue. Esse menino, como todos os outros que vivem onde eu vivo, vivem ameaçados pelos ratos que pululam nas margens do rio Rímac. Quem cuida dessas crianças são os cachorros que atacam os ratos e não deixam que cheguem perto. Mas houve por aqui uma epidemia de sarna e a prefeitura teve que pegar a maioria dos cachorros, e levou embora. Esse menino tinha um cachorro que cuidava dele. Durante o dia, o pai e a mãe iam trabalhar e ele ficava sozinho, com o cachorro tomando conta. Agora já não. Na semana passada, quando você me perguntou onde é que eu vivia, os ratos tinham vindo de tarde, enquanto o menino dormia, e comeram uma parte do nariz dele. Por isso ele tem tanto sangue no rosto. Olha bem a fotografia: essa é a minha resposta. Eu vivo num lugar onde coisas como essa ainda acontecem."

Eu podia escrever um romance sobre os meninos que vivem às margens do rio Rímac, mas tão somente nessa fotografia e em nenhuma outra linguagem não fotográfica podia-se expressar a dor daqueles olhos infantis, daquelas lágrimas misturadas com aquele sangue. E, para maior ironia e raiva, a foto era em *kodachrome, made in USA*...

A utilização da fotografia pode igualmente ajudar a descobrir símbolos válidos para toda uma comunidade ou grupo social. Ocorre muitas vezes que grupos teatrais bem intencionados não conseguem conectar-se com um público popular porque utilizam símbolos que, para esse público, nada significam. Pode ser que uma coroa real seja um símbolo de poder... mas apenas para as pessoas que aceitam, como símbolo de poder, uma coroa real... Um símbolo só é um símbolo se é aceito por dois interlocutores: o que transmite e o que recebe. A coroa pode provocar um tremendo impacto em uma pessoa e deixar uma outra completamente insensível.

O que é a exploração? A tradicional figura do Tio Sam é, para muitos grupos sociais espalhados por todo o mundo, o mais perfeito e acabado símbolo da exploração. Expressa com perfeição a rapina do imperialismo ianque.

Na experiência teatral limenha também se perguntou a várias pessoas o que era exploração, exigindo-se a resposta em fotografia. Muitas fotos-respostas mostravam o dono do armazém, ou o homem que vinha cobrar o aluguel, ou um balcão de uma venda, ou uma repartição pública etc. Um menino respondeu a essa pergunta com uma foto que mostrava um prego na parede. Para ele, esse prego era o símbolo mais perfeito da exploração. Quase ninguém entendeu por que, mas todos os demais meninos estavam totalmente de acordo. A discussão da foto esclareceu o porquê. Em Lima, os meninos começam trabalhando para ajudar a economia doméstica quando chegam à idade de cinco ou seis anos: começam como engraxates. É lógico que nas favelas onde vivem não existem sapatos para engraxar, e por isso essas crianças devem ir ao centro de Lima exercer o seu ofício. Levam consigo uma caixa dentro da qual colocam todos os apetrechos necessários à sua profissão. Mas evidentemente não podem ficar carregando todas as manhãs e todas as noites suas caixas, do trabalho à casa e da casa ao trabalho. Por isso, são obrigados a alugar um prego na parede de um bar, e o proprietário lhes cobra o aluguel de três soles por noite e por prego. Quando veem um prego, esses meninos odeiam a opressão; se veem uma coroa real, o Tio Sam ou uma foto de Nixon etc., o mais provável é que não compreendam nada.

É muito fácil dar uma máquina fotográfica a uma pessoa que jamais tirou uma foto, dizer-lhe por onde deve olhar para poder enfocar e que botão deve apertar. Basta isso, e os meios de produção da fotografia estarão em mãos dessa pessoa. Mas como proceder no caso específico do teatro?

Os meios de produção da fotografia estão constituídos pela máquina fotográfica, que é relativamente fácil de manejar, mas os meios de produção do teatro estão constituídos pelo próprio homem, que já não é tão fácil de manejar.

Podemos mesmo afirmar que a primeira palavra do vocabulário teatral é o corpo humano, principal fonte de som e movimento. Por isso, para que se possa dominar os meios de produção teatral, deve-se primeiramente conhecer o próprio corpo, para poder depois torná-lo mais expressivo. Só depois de conhecer o próprio corpo e ser capaz de torná-lo mais expressivo, o "espectador" estará habilitado a praticar formas teatrais que, por etapas, ajudem-no a liberar-se de sua condição de "espectador" e assumir a de "ator", deixando de ser *objeto* e passando a ser *sujeito*, convertendo-se de testemunha em protagonista.

O plano geral da conversão do espectador em ator pode ser sistematizado no seguinte esquema geral de quatro etapas:

Primeira etapa: Conhecimento do corpo. Sequência de exercícios em que se começa a conhecer o próprio corpo, suas limitações e suas possibilidades, suas deformações sociais e suas possibilidades de recuperação.

Segunda etapa: Tornar o corpo expressivo. Sequência de jogos em que cada pessoa começa a se expressar unicamente através do corpo, abandonando outras formas de expressão mais usuais e cotidianas.

Terceira etapa: Teatro como linguagem. Aqui se começa a praticar o teatro como linguagem viva e presente, e não como produto acabado que mostra imagens do passado:

> Primeiro grau — Dramaturgia simultânea: os espectadores "escrevem" simultaneamente aos atores que representam;
>
> Segundo grau — Teatro Imagem: os espectadores intervêm diretamente, "falando" através de imagens feitas com os corpos dos demais atores ou participantes;
>
> Terceiro grau — Teatro Debate: os espectadores intervêm diretamente na ação dramática, substituem os atores e representam, atuam!

Quarta etapa: Teatro como discurso. Formas simples em que o espectador-ator apresenta o *espetáculo* segundo suas necessidades de discutir certos temas ou de ensaiar certas ações. Exemplo:

1. Teatro Jornal
2. Teatro Invisível
3. Teatro Fotonovela
4. Quebra de repressão
5. Teatro Mito
6. Teatro Julgamento
7. Rituais e máscaras

I. Primeira etapa: Conhecimento do corpo

O contato inicial com um grupo de camponeses ou operários é extremamente difícil se se coloca a proposição de "fazer teatro". O mais provável é que nunca tenham ouvido falar de teatro ou, se alguma ideia têm a respeito, é uma ideia deformada pela televisão, pelo mau cinema ou por algum grupo circense. É muito comum também que essas pessoas associem "teatro" com ócio ou perfumes. De modo que é necessário ter cuidado, ainda que o contato inicial se dê através de um alfabetizador que pertença à mesma classe dos analfabetos ou semialfabetizados, ainda que viva entre eles em uma choça semelhante à deles, com a mesma falta de comodidades. O simples fato de que o alfabetizador vem com a missão de alfabetizar (que se supõe ser uma ação coercitiva, impositiva) tende a afastá-lo da gente do lugar. Por isso, convém que a aplicação de um sistema teatral comece por algo que não seja estranho aos participantes (como certas técnicas teatrais dogmaticamente ensinadas ou impostas); deve, ao contrário, começar pelo próprio corpo das pessoas interessadas em participar da experiência.

Existe uma enorme quantidade de exercícios que se podem praticar, tendo todos, como primeiro objetivo, fazer com que o participante se torne cada vez mais consciente do seu corpo, de suas possibilidades corporais e das deformações que o seu corpo sofre devido ao tipo de trabalho que realiza. Isto é: cada um deve sentir a "alienação muscular" imposta pelo trabalho sobre o seu corpo.

Um pequeno exemplo poderá esclarecer esse ponto: compare-se as estruturas musculares do corpo de um datilógrafo com as de um vigia noturno de uma fábrica. O primeiro realiza seu trabalho sentado em uma cadeira: do umbigo para baixo, seu corpo se converte, durante o trabalho, em uma espécie de pedestal, enquanto os seus braços e os seus dedos se agilizam. O vigia, ao contrário, é obrigado a caminhar de um lado para outro durante oito horas seguidas e, consequentemente, desenvolverá estruturas musculares que o ajudem a caminhar. Os corpos de ambos se alienam segundo os trabalhos que realizam, respectivamente.

O mesmo que acontece com esses dois trabalhadores acontece igualmente com qualquer pessoa, em qualquer função, em qualquer *status* social. O conjunto de papéis que uma pessoa desempenha na realidade impõe sobre ela uma "máscara social" de comportamento. Por isso terminam por parecer-se entre si pessoas que realizam os mesmos papéis: militares, clérigos, artistas, operários, camponeses, professores, latifundiários, nobres decadentes etc.

Compare-se a placidez angelical de um cardeal passeando sua bem-aventurança pelos jardins do Vaticano a um belicoso general dando ordens aos seus subalternos. O primeiro caminha suavemente, ouvindo música celestial, colhendo flores coloridas com as mais puras cores impressionistas. Se, por casualidade, um passarinho cruza o seu caminho, supõe-se que o cardeal lhe dirá alguma coisa ternamente, alguma palavra amável de estímulo cristão. Ao general, pelo contrário, não fica bem falar com os passarinhos, mesmo que tenha vontade. Um general deve falar como se estivesse sempre ordenando, mesmo que esteja dizendo à sua mulher que a ama. Um militar deve usar esporas, sempre que possível, mesmo que se trate de um almirante ou de um brigadeiro. Por essa razão, todos os generais se parecem entre si, e o mesmo acontece com todos os cardeais; mas os cardeais são completamente diferentes dos generais.

Os exercícios desta primeira etapa têm por finalidade "*desfazer*" as estruturas musculares dos participantes. Isto é: desmontá-las, verificá-las, analisá-las. Não para que desapareçam, mas sim para que se tornem conscientes. Para que cada operário, cada camponês, compreenda, veja e sinta até que ponto seu corpo está determinado pelo seu trabalho.

Se uma pessoa é capaz de "desmontar" suas próprias estruturas musculares, será certamente capaz de "montar" estruturas musculares próprias de outras profissões e de outros *status* sociais, estará mais capacitado para *interpretar* outros personagens diferentes de si mesmo.

Todos os exercícios desta série estão, portanto, destinados a "desfazer"; não interessam os exercícios acrobáticos, atléticos, que tendam a criar estruturas musculares próprias de atletas e de acrobatas.

A título de exemplificação, descrevo alguns desses exercícios:

Corrida em câmera lenta

Os participantes são convidados a fazer uma corrida com a finalidade de perdê-la: ganha o último! O corpo de cada um, ao mover-se em câmera lenta, em cada centímetro que se desloque o seu centro de gravidade, terá que reencontrar uma nova estrutura muscular que promova o equilíbrio. Os participantes não podem nunca interromper o movimento, uma vez iniciado, e ficar parados; devem também dar o passo mais comprido que puderem e, ao "correr", os seus pés devem passar por cima dos joelhos. Neste exercício, uma corrida de dez metros pode ser mais cansativa que uma corrida convencional de quinhentos metros: o esforço necessário para manter o equilíbrio em cada nova posição, a cada pequeno deslocamento, é enorme e muito intenso.

Corrida de pernas cruzadas

Os participantes se unem em duplas, se abraçam pela cintura e cruzam suas pernas (a perna esquerda de um com a perna direita do outro), apoiando-se cada um na perna não cruzada. Durante a corrida, cada dupla se move como se fosse uma só pessoa, e cada pessoa se move como se o companheiro fosse sua perna. A "perna" não pode saltar sozinha: tem que ser movida pelo seu companheiro.

Corrida do monstro

Formam-se "monstros" de quatro pés, com duplas em que cada um abraça o tórax do companheiro, estando um de cabeça para baixo, de tal forma que as pernas de um encaixam no pescoço do outro, formando um monstro sem cabeça e com quatro patas. Correm, levantando cada um o corpo inteiro do outro, dando uma volta no ar, firmando-se outra vez no chão, e assim sucessivamente.

Corrida de roda

As duplas formam rodas, cada um agarrando os tornozelos do companheiro, e correm uma corrida de rodas humanas.

Hipnotismo

As duplas se põem frente a frente e cada um coloca a mão a poucos centímetros do nariz do companheiro, que está obrigado a manter essa distância permanentemente; o primeiro começa a mover a mão em todas as direções, para cima e para baixo, para a esquerda e para a direita, mais rápida ou mais lentamente, enquanto o segundo move todo o seu corpo de tal maneira a manter a mesma distância entre o seu nariz e a mão do companheiro. Nesses movimentos, os participantes são obrigados a assumir posições corporais que jamais assumem na vida diária, "reestruturando" permanentemente suas estruturas musculares.

Em seguida, formam-se grupos de três: um lidera e os outros dois acompanham cada uma das mãos do líder que pode, por sua vez, fazer qualquer coisa, cruzar os braços, separar as mãos etc., enquanto os outros dois devem manter sempre a mesma distância. Deve-se observar que, se a mão do líder está com os dedos para cima, o rosto do que o segue deve igualmente estar na vertical, e se a mão se inclina para a horizontal, igualmente se inclinará o rosto.

Em seguida, formam-se grupos de cinco, sendo que um lidera e os outros quatro seguem as mãos e os pés do líder, que pode fazer o que sentir vontade, inclusive dançar. Nesse tipo de exercício, o líder deve procurar permanentemente "desequilibrar" o corpo do companheiro que, assim, será forçado a buscar um novo equilíbrio através de posições corporais absolutamente novas; quanto mais ridículas essas posições, mais novas serão, menos usuais e portanto mais ajudarão a "desmontar" as estruturas musculares usuais e mecanizadas.

Luta de boxe à distância

Os participantes são convidados a praticar uma luta de boxe, mas não podem tocar uns aos outros. Cada um deve lutar como se estivesse lutando de verdade, mas sem tocar o companheiro que, não obstante, deve reagir fisicamente como se tivesse recebido cada golpe. Essas lutas podem chegar a ser extremamente violentas e a única coisa que se proíbe é que os lutadores se toquem...

Faroeste

É uma variação do exercício anterior. Os participantes improvisam uma cena típica das más comédias de faroeste, representando o pianista bêbado, o garçom afeminado, as bailarinas-prostitutas, os homens maus que entram dando pontapés nas portas de vaivém etc. Toda essa cena muda se representa sem que os participantes possam tocar-se, mas de tal maneira a reagir a todo gesto ou fato que ocorra, por exemplo uma cadeira imaginária que se atira contra uma fila de garrafas cujos fragmentos saem disparados em todas as direções: é necessário reagir ao movimento da cadeira, às garrafas quebradas etc. No fim da cena, estarão todos brigando contra todos.

No meu livro *200 exercícios e jogos para o ator e o não ator com vontade de dizer algo através do teatro*,[2] sistematizei diversas séries de exercícios que podem ser utilizados nesta etapa. Creio, porém, que é sempre conveniente propor um exercício e ao mesmo tempo propor que os participantes inventem outros. É importante manter uma atmosfera criadora: todos estão criando, os que ensinam e os que apren-

---

[2] Publicado pela editora Civilização Brasileira em 1977. Saiu anteriormente em duas edições, uma argentina e outra portuguesa. (N. da E.)

dem. Todos devem inventar. E, nesta etapa, é necessário imaginar e praticar exercícios que "analisem" as estruturas musculares de cada participante.

II. Segunda etapa: Tornar o corpo expressivo

O objetivo da segunda etapa é o de desenvolver a capacidade expressiva do corpo. Estamos acostumados a tudo comunicar através da palavra, o que colabora para o subdesenvolvimento da capacidade de expressão corporal. Uma série de "jogos" pode ajudar os participantes a desenvolver os recursos do corpo como forma de expressão. Trata-se de "jogos de salão" e não necessariamente de exercícios de laboratório. Os participantes são convidados a "jogar" e não a "interpretar" personagens, mas é certo que "jogarão" tanto melhor quanto melhor "interpretem".

Alguns exemplos de "jogos": distribuem-se entre os participantes pequenos papéis com nomes de animais, macho e fêmea. Cada participante tira um papel, na sorte. Durante dez minutos de "jogo" devem tentar dar uma visão física, corporal, do animal que lhes tocou. É proibido falar ou fazer ruídos óbvios que denunciem o animal, já que a comunicação deve ser exclusivamente corporal. Portanto não se pode miar no caso de "gato" ou "gata", nem ladrar, no caso de "cachorro" ou "cachorra". Depois dos dez minutos iniciais, e obedecendo a um aviso do orientador, cada participante deve procurar o seu par, entre os demais participantes, que também estarão imitando seus animais, sempre em suas versões "macho" ou "fêmea". Quando dois participantes estiverem convencidos de que eles formam um casal, saem de "cena" e só então se lhes permite falar para saber se realmente são um casal, e o jogo termina quando todos os "animais" tenham encontrado seus companheiros. E isso terá sido feito através da comunicação exclusivamente corporal, sem a utilização de palavras, nem sequer de ruídos óbvios.

Nos jogos deste tipo, o importante não é "acertar"; o importante é fazer com que todos os participantes se esforcem para expressar-se através de seus corpos, coisa a que não estão acostumados. Ainda que

140   Poética do Oprimido

se cometam todos os erros imagináveis, o exercício será igualmente bom se os participantes tentarem se expressar fisicamente, sem o recurso da palavra. Desse modo, e sem que se deem conta, estarão já "fazendo teatro"...

Eu me lembro que uma vez, numa favela, a um homem lhe tocou interpretar o colibri. O pobre coitado não tinha a menor ideia de como seria possível expressar fisicamente um colibri, mas se lembrou de que esse passarinho voa muito rapidamente de flor em flor, fica parado no ar por alguns instantes enquanto beija cada flor e emite um ruído particular. Com os braços, o homem começou a imitar o bater frenético de asas do beija-flor e, "voando" de participante em participante, como se seus companheiros fossem flores, detinha-se diante de cada um por alguns instantes e emitia um ruído que supunha próprio dessa ave: "Brrrrrrrrrr!". Durante dez minutos todos tiveram que aguentar o aguerrido senhor fazendo "Brrrrrrrrrr!" diante de uns e outros. Depois, quando começaram todos a buscar o companheiro, este homem olhava a todos os demais e nenhum lhe parecia suficiente "colibri" para atraí-lo. Finalmente, descobriu um senhor gordo e alto que, com suas mãos, fazia com desalento um movimento pendular, e não teve dúvidas, pensou que ele era a sua amada colibri, e partiu pra cima do gordo, dando voltas ao seu redor, cada vez cantando com mais galhardia "Brrrrrrrrrrrrrrrrr!!!...", mais amorosamente batendo suas asas e, dando beijinhos no ar, esperou que o gordo o seguisse. O gordo tentava escapar de todo jeito, mas vinha sempre em cima o colibri macho enamorado, cantando alegremente, até que o gordo, enquanto os outros morriam de riso, decidiu acompanhá-lo para fora da "cena" e assim terminar seus padecimentos, embora estivesse certo de que não se tratava de um casal. Quando saíram (e só então se permitia falar), cheio de alegria, o homem quase gritou:

"— Eu sou o colibri macho e você é a colibri fêmea, não é verdade???"

O gordo, desalentado, olhou pra ele e disse assim:

"— Não, imbecil... você não viu que eu sou o touro?..."

O movimento da mão significava (ou pretendia!) o movimento que fazem os touros na arena antes de investirem contra o toureiro. Mas nunca saberemos de que maneira um gordo interpretando um touro convenceu ao pobre homem ser um delicado e canoro colibri. Não importa: a única coisa importante é que, durante quinze ou vinte minutos, toda essa gente tentou "falar" com seu corpo.

Este tipo de jogo pode variar ao infinito e os papéis podem conter, por exemplo, nomes de profissões. Se os participantes mostram animais, talvez isso nada tenha que ver com a ideologia. Mas se um camponês deve interpretar um latifundiário, ou se um operário deve interpretar um dono de fábrica, ou se a mulher de um destes deve interpretar um policial, nesses casos a ideologia também conta e encontra sua expressão através do jogo. Os papéis podem também conter os nomes dos próprios participantes, de tal forma que uns interpretarão os outros, dessa maneira revelando suas opiniões e fazendo fisicamente suas críticas mútuas.

Também nesta etapa, como na primeira, existem muitíssimos jogos que se podem utilizar, tratando-se sempre de fazer com que os participantes inventem outros, e que não sejam receptores passivos do divertimento que vem de fora.

III. Terceira etapa: Teatro como linguagem

Esta etapa se divide em três partes, significando cada uma um grau diferente e progressivo de participação direta do espectador no *espetáculo*. Trata-se de fazer com que o espectador se disponha a intervir na ação, abandonando sua condição de objeto e assumindo plenamente o papel de sujeito.

As duas etapas anteriores são preparatórias e estão centradas no trabalho do participante com o seu próprio corpo. Esta nova etapa enfatiza o tema a ser discutido e promove o passo do espectador à ação verdadeira.

Primeiro grau: Dramaturgia simultânea

Este é o primeiro convite que se faz ao espectador para que intervenha, sem que seja necessária sua entrada física em "cena". Trata-se aqui de interpretar uma cena curta de dez ou quinze minutos, proposta por alguém do lugar, por um vizinho da favela, e improvisado pelos

142   Poética do Oprimido

atores, depois de discuti-la com o "autor" e delinear o enredo. Pode-se, inclusive, e sempre que haja tempo, escrever a cena, que não tem que ser necessariamente improvisada. Em qualquer caso, o espetáculo ganha em teatralidade se a pessoa que propôs a cena, que contou a história, estiver presente na plateia. A cena deve ser representada até o ponto em que se apresente o problema central, que necessite uma solução. Neste ponto, os atores param de interpretar e pedem ao público que ofereçam soluções possíveis, para que as interpretem, para que as analisem. Em seguida, improvisando, interpretam todas as soluções propostas pelo público, uma a uma, sendo que todos os espectadores têm o direito de intervir, corrigindo ações ou falas inventadas pelos atores, que são obrigados a retroceder e a interpretar outra vez as mesmas cenas ou dizer as novas palavras propostas pelos espectadores. Assim, enquanto a plateia "escreve" a peça, o elenco simultaneamente a interpreta. Tudo o que possam pensar os espectadores é discutido "teatralmente" em cena, com a ajuda dos atores. Todas as soluções propostas e opiniões são expostas em forma teatral. A "discussão" neste caso não se produz através da utilização de palavras somente, mas sim de todos os elementos teatrais possíveis.

Um pequeno exemplo: numa favela de San Hilarión, em Lima, uma senhora propôs um tema candente. Era ela analfabeta e seu marido lhe havia dado para guardar, anos atrás, certos "documentos" que, segundo ele, eram de suma importância. A boa senhora os guardou sem suspeitar de nada. Um belo dia, os dois brigaram e a mulher se lembrou dos tais "documentos" e quis saber exatamente de que se tratava, pois temia que se relacionassem com a casinha que possuíam. Como não sabia ler, pediu a ajuda de uma vizinha. Muito amável, veio a vizinha e leu os "documentos" que, para posterior diversão de todo o bairro, não eram documentos e sim cartas de amor escritas pela amante do marido da pobre analfabeta. A mulher traída jurou vingança. Mas como vingar-se? Os atores improvisaram a história que ela lhes contou até o ponto em que o marido retorna para casa, depois de um dia de trabalho e quando a mulher acaba de ser informada do mistério das cartas. Aqui se interrompia a ação e a participante-atriz, que interpretava a senhora analfabeta, perguntava aos demais participantes-espectadores qual devia ser a sua atitude frente ao marido.

Todas as mulheres da plateia se alvoroçaram, começaram a discutir e a expor suas opiniões. Os atores ouviam as diferentes sugestões e representavam segundo as normas dadas pelo público, procurando ser intérpretes fiéis desse público-dramaturgo. Todas as possibilidades de feminina vingança foram examinadas *a quente*, *em teatro*, e não *a frio*, *em palavras*. Nesse caso particular, foram estas as soluções propostas:

1. *Chorar muito para fazer com que o marido se sentisse culpado.* Foi uma jovem quem sugeriu que a mulher se pusesse a chorar muito para que o marido se desse conta de como havia se comportado mal. Os atores não podem recusar as soluções propostas, gostem ou não dessas propostas. Devem interpretar todas. A atriz portanto chorou muitíssimo, enquanto o marido a consolava e lhe assegurava que águas passadas não movem moinhos, que já se havia esquecido desses amores juvenis, que a amava etc., e quando ela parou de chorar, ele pediu que ela servisse o jantar e tudo ficou por isso mesmo, na santa paz de Deus. O público não aceitou essa solução, pois pensavam todos (especialmente as mulheres presentes) que o marido merecia maior castigo.

2. *Abandonar a casa deixando o marido sozinho, como castigo.* A atriz, sem discutir, interpretou essa sugestão e, depois de mostrar ao marido como havia sido ruim, agarrou as suas coisas, meteu tudo dentro de uma mala e foi embora, batendo a porta na cara do marido, que ficou sozinho, muito sozinho, dentro de casa. Mas, assim que saiu, perguntou ao público o que deveria fazer em seguida. Para castigar seu marido, terminava por castigar-se a si mesma. Aonde iria agora? Em que casa poderia viver? Esse castigo positivamente não servia, já que recaía sobre ela mesma.

3. *Expulsar o marido de casa.* Também essa variante foi ensaiada. O marido pediu e pediu que o deixasse entrar, mas a mulher decidiu que ficasse de fora. Depois de muito rogar, o marido comentou: "Muito bem, eu vou embora. Hoje foi o dia de pagamento e eu vou com esse dinheiro viver com a minha amante, porque eu gosto muito mais dela do que de você, e você que se vire sozinha!". E foi embora. A atriz comentou que não havia gostado dessa solução, porque o marido iria agora viver com outra e ela, pobre, que faria? Não ganhava o suficiente para viver sozinha e não podia prescindir do marido.

4. A última solução foi apresentada por uma senhora gorda e exuberante, e foi aceita pela unanimidade do público presente, homens e mulheres. Disse a experiente senhora: "Você faz assim, como eu te digo: deixa ele entrar, agarra um pau bem comprido e bem forte e, quando ele entrar, baixa a lenha com toda tua força, bate bastante. Depois que tiver lhe dado uma boa surra, para que se arrependa, você joga fora o pau, você serve o jantar a ele, com muito carinho, e depois você o perdoa...". A atriz representou essa versão (depois de vencer as resistências naturais do ator que representava o marido e que não queria apanhar) e, depois de lhe dar uma boa tunda, para diversão do público presente, os dois se sentaram à mesa, comeram e discutiram amistosamente as últimas medidas do governo, nacionalizando companhias estrangeiras...

Esta forma de teatro produz uma grande excitação entre os participantes: começa a demolir-se o muro que separa atores de espectadores. Uns *escrevem* e outros representam quase simultaneamente. Os espectadores sentem que podem intervir na ação. A ação deixa de ser apresentada *deterministicamente*, como uma fatalidade, como o Destino. *O Homem é o Destino do Homem*! Pois então o *Homem-Espectador* é o criador do Destino do *Homem-Personagem*. Tudo está sujeito à crítica, à retificação. Tudo é transformável, e tudo se pode transformar no mesmo instante: os atores devem estar sempre prontos a aceitar qualquer proposta e não rechaçar nenhuma: devem simplesmente representá-las, ao vivo, mostrando quais serão as suas consequências, suas indicações e contraindicações. Todo espectador, por ser espectador, tem o direito a experimentar sua versão. Nada de censura prévia. É a própria representação teatral que mostrará os acertos ou desacertos de cada proposta. O ator não se modifica em sua função principal: continua sendo o *intérprete*. *O que se modifica é quem tem que interpretar*! Se antes interpretava um senhor que escrevia fechado em seu escritório (e não tenho nada contra esses senhores: sou um deles!), aqui, ao contrário, deve interpretar um público popular, um dramaturgo coletivo, que não lhe oferece um texto acabado, mas sim soluções, sugestões, cenas, frases, características — e ele deve reunir tudo isso na apresentação perfeita de um personagem vivendo uma história.

Esse dramaturgo coletivo vive numa favela, ou trabalha numa fábrica, ou são os vizinhos que se reúnem na sociedade dos amigos do bairro, ou os paroquianos de uma igreja, ou os camponeses de uma liga camponesa, ou os estudantes de uma escola. Os atores têm a missão de interpretar os pensamentos desses grupos de homens e mulheres. O ator deixa de interpretar o indivíduo e passa a interpretar o grupo; deixa de interpretar um texto já escrito, acabado, e passa a interpretar uma dramaturgia embrionária. Isso é muito mais difícil, não resta dúvida, mas é igualmente muito mais criador!

Segundo grau: Teatro Imagem

Neste segundo grau o espectador deve intervir muito mais diretamente. Pede-se que ele expresse sua opinião sobre um tema determinado, de interesse comum, que os participantes desejem discutir. Esse tema pode ser amplo, abstrato, como "o imperialismo", ou pode mais concretamente referir-se a um problema local, como a ausência de água encanada, coisa que costuma acontecer em quase todas as favelas latino-americanas. Pede-se ao participante que expresse sua opinião, mas sem falar: deve apenas usar os corpos dos demais participantes para "esculpir" com eles um conjunto de *estátuas*, de tal maneira que suas opiniões e sensações resultem evidentes. O participante deverá usar os corpos dos demais como se ele fosse um escultor, e como se os outros fossem feitos de barro. Deverá determinar a posição de cada corpo até os detalhes mais sutis de suas expressões fisionômicas. Não é permitido falar em nenhuma hipótese. O máximo que pode fazer cada escultor é mostrar com o seu próprio rosto a expressão que deseja ver no rosto do participante-estátua. Depois de organizado esse conjunto de estátuas, deve-se discutir com os demais participantes se todos estão de acordo ou se propõem modificações. Todos têm o direito de modificar o primeiro conjunto, no todo ou em parte. O importante é chegar a um conjunto *modelo* que, na opinião geral, seja a concreção escultural do tema dado, isto é: este modelo é a representação física deste tema! Quando finalmente se chega a uma figura aceita mais ou menos unanimemente, pede-se ao escultor que faça outra imagem mostrando como ele gostaria que fosse o tema dado. Em outras palavras: o primeiro conjunto deve mostrar a *imagem real*, enquanto o segundo mostrará a *imagem ideal*. Tendo-se essas duas imagens, pede-se a qualquer participante que mostre qual seria, a seu ver, a *imagem de trânsito*. Isto é: temos uma realidade que queremos transformar; como transformá-la? Isso deve ser mostrado através de imagens formadas pelos corpos dos participantes. Cada um terá o direito de, sempre sem falar, esculpir modificações na *imagem real*, mostrando como seria possível chegar-se à *imagem ideal*, isto é, mostrará concretamente uma *imagem de trânsito* (visível, palpável, concreta!), qual seria o melhor caminho para a transformação, a revolução, ou qualquer outra palavra que se queira utilizar. Todo o debate é feito pelos "escultores" que modificam "esculturas": cada escultura terá inequivocamente um significado, e cada modificação, igualmente, terá um significado particular.

Um exemplo concreto ajudará a esclarecer este processo. Uma jovem alfabetizadora que vivia num *pueblo* pequeno, chamado Otusco, foi encarregada de mostrar como era seu povoado natal aos demais participantes. Em Otusco, antes do atual governo revolucionário, houve uma revolta camponesa; os latifundiários (já não existem mais no Peru) prenderam o líder dessa rebelião, conduziram-no à praça central do povoado e, diante de todos, castraram-no. A moça de Otusco compôs a imagem da castração, colocando um dos participantes no chão, enquanto outro fazia o gesto de castrá-lo, e outro o agarrava por trás, tornando-o indefeso. Diante desses três homens, a moça colocou uma mulher ajoelhada, rezando, e de um lado e do outro um grupo de cinco homens, igualmente ajoelhados, com as mãos atadas atrás das costas. Atrás do homem castrado, a moça pôs outro participante em ostensiva atitude de poder e violência e, atrás deste, dois homens armados apontando suas armas contra o prisioneiro caído.

Essa era a imagem que a moça tinha do seu povoado. Imagem terrível, trágica, pessimista, derrotista, mas, ao mesmo tempo, imagem de algo realmente acontecido. Quando se lhe pediu que mostrasse como ela gostaria que fosse seu povoado, a jovem compôs outro conjunto de gente que se amava, que trabalhava, enfim, um Otusco feliz e contente. Primeiro a *imagem real*, depois a *imagem ideal*. A partir daí, começava o trabalho: como se poderia, a partir da imagem real, chegar à imagem ideal? Como produzir a modificação, a transformação, a revolução? Essa discussão, feita através das imagens, se constitui na parte mais importante desta forma teatral.

Cada participante tinha o direito de, a partir da primeira imagem, reordenar o grupo para mostrar de que maneira, na sua opinião, a realidade poderia ser transformada, reordenando as forças significadas pelas imagens. Cada um devia mostrar a sua *opinião feita de imagens*. Havia discussões ferocíssimas, sem palavras. Quando alguém exclamava "Eu acho que...", era imediatamente interrompido: "Não diga o que pensa: venha e mostre!". O participante ia e mostrava, fisicamente, visualmente, o seu pensamento, e a discussão prosseguia.

Nesse caso particular, observaram-se especialmente as seguintes variantes:

1. Quando se pedia a qualquer moça do interior do país que fizesse a *imagem de trânsito*, essa moça jamais modificava a imagem da mulher ajoelhada, significando claramente que não via na mulher nenhuma força transformadora, revolucionária. Naturalmente, essas moças se identificavam com essa figura feminina e, como não acreditavam em si mesmas como protagonistas possíveis da revolução, tampouco modificavam a imagem da mulher ajoelhada. Quando, ao contrário, pedia-se o mesmo a uma moça de Lima, esta, mais "liberada", começava por modificar justamente essa imagem, com a qual se identificava. Essa experiência foi feita repetidas vezes e sempre produziu o mesmo resultado, sem variações. Certamente não se trata de uma ocorrência fortuita, mas sim de uma expressão sincera e visual da ideologia e da psicologia das participantes. As moças de Lima sempre modificavam a imagem feminina, mas cada uma à sua maneira: umas faziam com que a mulher se agarrasse à figura do homem castrado, outras que se dispusesse a lutar contra o castrador, outras contra a poderosa figura central etc. Enquanto isso, as moças do interior do país não faziam mais do que permitir que a mulher levantasse as mãos em atitude de oração.

2. Todos os participantes que acreditavam no Governo Revolucionário começavam por transformar as figuras armadas, no fundo do conjunto, isto é, os dois homens apontando suas armas contra o castrado: passavam a apontar suas armas contra a figura central ou contra os castradores; quando, ao contrário, o participante não tinha a

mesma fé em seu governo, modificava todas as outras, menos essas figuras armadas.

3. As pessoas que acreditavam em soluções mágicas, ou em transformações "de consciência" das classes exploradoras, começavam por modificar os castradores que se transformavam de *moto próprio*, e a poderosa figura central também se regenerava sozinha. Mas aqueles que não acreditam nessa modalidade de trânsito social transformavam primeiramente os homens ajoelhados, fazendo com que estes assumissem posições de luta, atacando os seus dominadores.

4. Uma jovem, depois de fazer com que todas as transformações fossem obra dos homens ajoelhados que se liberavam, atacavam seus verdugos e os capturavam, fez também com que uma das figuras do "povo" se dirigisse a todos os demais participantes, indicando claramente que, em sua opinião, as transformações sociais são feitas pelo povo em seu conjunto, e não apenas por sua vanguarda.

5. Outra jovem, no extremo oposto, fez todas as modificações possíveis e imagináveis, deixando intocados unicamente os cinco homens de mãos atadas. Essa jovem pertencia à classe média alta, e não se sabia por que estava aí nesse plano de alfabetização. Depois de várias tentativas, a jovem já estava nervosa por não poder imaginar nenhuma outra transformação e por sentir que talvez algo mais houvesse, e alguém lhe perguntou sobre a possibilidade de transformar primeiramente as figuras atadas. A moça olhou espantada: "Que coisa... eu não tinha reparado nesses...". E era verdade. Era no povo que ela não tinha reparado nunca...

Esta forma de Teatro Imagem é, sem dúvida, uma das mais estimulantes, por ser tão fácil de praticar e por sua extraordinária capacidade de tornar *visível* o pensamento. Isto ocorre porque, quando se usa a linguagem *idioma*, cada palavra utilizada possui uma denotação que é a mesma para todos, mas possui igualmente uma conotação, que é única para cada um. Se eu digo a palavra "revolução", evidentemente todos compreenderão que estou falando de uma transformação radical, mas, ao mesmo tempo, cada um pensará na "sua" revolução, em seu conceito pessoal de revolução. Mas se, ao invés de falar, eu tiver que fazer um conjunto de estátuas que signifique a "minha" revolução, nesse caso não existirá a dicotomia denotação-conotação. A imagem sintetiza a conotação individual e a denotação coletiva. No meu conjunto, que significa "revolução"? Que fazem as "estátuas"? Têm armas na mão ou simplesmente votos? As figuras do povo estão unificadas numa atitude de luta contra as figuras que significam os inimigos comuns a todos ou, pelo contrário, as figuras populares estão dispersas, ou em atitude de discutir entre elas, enquanto se unificam as da opressão? Meu conceito de "revolução" ficará perfeitamente claro se, ao invés de falar, mostro com imagens o que penso.

Recordo que em uma sessão de psicodrama uma jovem comentava repetidamente os problemas que tinha com seu noivo, e sempre começava mais ou menos com a mesma frase: "Ele veio e me abraçou e então...". Sempre o mesmo abraço iniciando seus relatos, e todos nós entendíamos que eles se abraçavam, isto é, entendíamos o que a palavra "abraço" *denota*. Um dia foi-lhe pedido que mostrasse, representando, como eram esses encontros e esses abraços. Foi isto o que ela mostrou: o noivo se aproximando, ela cruzando os braços sobre o próprio peito, como se estivesse se defendendo, enquanto o noivo a agarrava e a apertava, e ela mantinha sempre as mãos fechadas, continuamente se defendendo. Essa era a sua conotação particular da palavra "abraço". Quando compreendemos qual era o "seu" abraço, pudemos afinal compreender os problemas que tinha com o noivo...

No Teatro Imagem pode-se também utilizar outras técnicas:

1. Permitir que cada participante transformado em estátua realize um movimento, um gesto, e apenas um, cada vez que o orientador bata palmas. Nesse caso o conjunto de imagens se transformará segundo o desejo individual de cada participante-estátua;

2. Pede-se aos participantes-estátuas que guardem de memória a *imagem ideal*, que voltem à *imagem real* primitiva e depois, a um sinal do orientador, realizem os movimentos necessários para outra vez retornarem à *imagem ideal*, mostrando assim o conjunto de imagens em movimento e permitindo analisar a viabilidade ou não dos trânsitos propostos. Através desse processo, será possível observar se um conjunto se transforma em outro (real em ideal) por obra e graça do Espírito Santo, ou se a transformação se opera pelas forças em contradição no seio mesmo do conjunto;

3. Pede-se ao participante-escultor que, uma vez terminada sua obra, procure colocar-se ele mesmo dentro do conjunto que criou: assim, muitas pessoas percebem que às vezes possuem uma *visão cósmica* da realidade, como se não estivesse também dentro dessa mesma realidade.

O jogo com imagens oferece muitas outras possibilidades. O importante é sempre analisar a viabilidade de transformação.

Terceiro grau: Teatro Debate

Este é o último grau desta etapa e aqui o participante tem que intervir decididamente na ação dramática e modificá-la. Este é o processo: inicialmente, pede-se aos participantes que contem uma história com um problema político ou social de difícil solução. Deve-se a seguir improvisar ou ensaiar um texto que se escreva baseado na história contada, e se apresenta a cena de dez ou quinze minutos, que inclua uma solução proposta para determinado problema, e que se deseja debater. Quando termina a apresentação, pergunta-se aos participantes se estão de acordo com a solução apresentada. Como quase sempre se apresenta, para fins de discussão, uma má solução, é evidente que os participantes-espectadores dirão que não estão de acordo. Explica-se então que a cena será representada uma vez mais, exatamente da mesma maneira que da primeira vez. Porém agora qualquer pessoa terá o direito de substituir qualquer ator e conduzir a ação na direção que lhe pareça mais adequada. O ator substituído deve aguardar do lado de fora, pronto para reintegrar-se no momento em que o participante dê por terminada sua intervenção. Os demais atores, que permanecem em cena, devem enfrentar as novas situações criadas pelos espectadores, examinando "a quente" todas as possibilidades que a nova proposta ofereça.

Os participantes que intervenham devem obrigatoriamente continuar as ações físicas dos atores que são substituídos, de modo a que a "marcação" continue mais ou menos a mesma. Não é permitido entrar em cena e simplesmente ficar falando, falando, falando: devem todos realizar os mesmos trabalhos ou as mesmas atividades dos atores que estavam em seus lugares. Em cena, a atividade teatral deve seguir a mesma. Qualquer pessoa pode propor qualquer solução, mas para isso deverá ir à cena, aí trabalhar, fazer coisas, agir, e não simplesmente falar. E ninguém pode propor nada na comodidade de sua cadeira. Muitas vezes, em debates posteriores a espetáculos convencionais, tenho visto espectadores sempre desconformes que revelam ser extraordinários revolucionários... porém sentados nas suas poltronas. Falar é muito fácil, é muito fácil sugerir atos heroicos e maravilhosos. O mais difícil é realizá-los. Esses mesmos espectadores se darão conta de que as coisas são um pouco mais difíceis do que pensam se tiverem que fazer eles mesmos os atos que preconizam.

Um exemplo: um jovem de dezoito anos trabalhava na cidade de Chimbote, um dos portos pesqueiros mais importantes do mundo. Existe ali uma infinidade de fábricas de farinha de pescado, principal produto de exportação do Peru. Algumas são enormes e outras contam com apenas oito ou dez operários. Numa dessas, trabalhava o nosso jovem. Tinha um patrão terrivelmente explorador, que obrigava seus operários a trabalhar das 8 horas da manhã às 8 da noite, ou vice-versa, em dois turnos. Total: doze horas de trabalho contínuo. Todos pensavam em lutar contra essa exploração desumana. Cada um tinha uma ideia, uma proposta, como realizar a "operação tartaruga", isto é, trabalhar bem devagarzinho, especialmente quando o patrão não está olhando. Mas este rapaz teve uma ideia brilhante: trabalhar o mais rapidamente possível e encher a máquina de peixe de tal maneira que, com o peso excessivo, a máquina se quebrava e parava de funcionar. Para repará-la, eram necessárias duas ou três horas, e, durante esse tempo, os operários poderiam descansar tranquilos. Esse era o problema: a exploração patronal; e essa, *uma* solução inventada pela *esperteza* nativa. Mas seria essa a melhor solução?

Preparou-se uma cena que foi apresentada a todos os participantes. Alguns atores representaram os operários, outros o patrão, o capataz, o alcaguete. A cena se converteu numa fábrica de farinha de peixe: um operário descarregava o peixe, outro pesava sacos cheios de peixe, outro transportava os sacos até a máquina, outro cuidava da máquina, enquanto outros faziam outras tarefas pertinentes. Enquanto trabalhavam, dialogavam, propunham soluções e as discutiam, até que finalmente aceitavam a proposta do rapaz, arrebentavam a máquina de tanto peixe que lhe metiam dentro, vinha o patrão com o engenheiro enquanto os operários dormiam durante o tempo de conserto da máquina. Terminado o conserto, voltavam todos ao trabalho.

A cena foi apresentada pela primeira vez e se propôs a discussão. Estavam todos de acordo? Positivamente não! Pelo contrário, o desacordo era total. Mas cada um tinha, pelo seu lado, uma proposta diferente: atirar uma bomba e incendiar a fábrica, fazer uma greve, formar um sindicato etc. Foi então que se propôs ao público uma sessão de Teatro Debate. A cena seria representada outra vez, de forma idêntica, porém agora teriam todos o direito de ensaiar suas soluções e propostas, intervindo diretamente na ação e modificando-a.

O primeiro que interveio foi o da bomba: levantou-se, substituiu o ator que interpretava o jovem e propôs jogar uma bomba na máquina. É claro que os demais atores o dissuadiram, pois isso significaria a destruição da fábrica, e portanto de uma fonte de trabalho. Aonde iriam parar tantos operários se a fábrica fechava? Por quanto tempo teriam que viver sem salário? Inconformado, o homem tentou jogar a bomba sozinho, mas logo percebeu que não sabia como fazê-lo, nem muito menos como fabricá-la. Acontece que muita gente, em discussões teóricas, é capaz de atirar muitas bombas, mas na realidade não saberia o que fazer com uma bomba verdadeira e seria capaz de explodir com ela no bolso.

Depois de experimentar a solução-bomba, o homem voltou ao seu lugar, e o ator retomou o seu papel, até que veio um segundo espectador experimentar a solução da greve. Depois de muita discussão com os demais, conseguiu fazer com que se interrompesse o trabalho, indo todos embora e deixando a fábrica vazia. Nesse caso, o patrão, o capataz e o alcaguete, que haviam preferido ficar, foram até a praça (que era a plateia) buscar outros operários que se prestassem a substituir os grevistas: no Chimbote existe um tremendo desemprego massivo. Esse espectador-participante experimentou uma solução, a greve, e percebeu que, sozinha, era ineficaz: com tanto desemprego, os patrões encontram sempre operários suficientemente famintos e pouco politizados que substituirão os grevistas.

A terceira tentativa foi a de formar um sindicato destinado a lutar pelas reivindicações operárias, a politizar os operários, ocupados e desocupados, a formar caixas de assistência mútua etc. Nessa sessão de

Teatro Debate, essa foi a solução que pareceu melhor, a critério do público presente.

No Teatro Debate não se impõe nenhuma ideia: o público (o povo) tem a oportunidade de experimentar todas as suas ideias, de ensaiar todas as possibilidades e de verificá-las na prática, isto é, na prática teatral. Se a plateia tivesse chegado à conclusão de que seria necessário dinamitar todas as fábricas de farinha de peixe do Chimbote, isso também seria certo do ponto de vista do funcionamento do Teatro Debate, que é uma técnica teatral não impositiva. Essa forma teatral não tem a finalidade de mostrar o caminho correto (correto de que ponto de vista?), mas sim a de oferecer os meios para que todos os caminhos sejam estudados.

Pode ser que o teatro não seja revolucionário em si mesmo, mas essas formas teatrais são certamente um *ensaio da revolução*. A verdade é que o espectador-ator pratica um ato real, mesmo que o faça na ficção de uma cena teatral. Enquanto ensaia jogar uma bomba no espaço cênico, está concretamente ensaiando como se joga uma bomba; quando tenta organizar uma greve, está concretamente organizando uma greve. Dentro dos seus termos fictícios, a experiência é concreta.

Aqui não se produz de nenhuma maneira o efeito catártico. Estamos acostumados a peças em que os personagens fazem a revolução no palco, e os espectadores se sentem revolucionários triunfadores, sentados nas suas poltronas, e assim *purgam* seu ímpeto revolucionário: para que fazer a revolução na realidade, se já a fizemos no teatro? Mas isso não acontece neste caso: *o "ensaio" estimula a praticar o ato na realidade*. O Teatro Debate e essas outras formas de teatro popular, em vez de tirar algo do espectador, pelo contrário, infundem no espectador o desejo de praticar na realidade o ato ensaiado no teatro. A prática dessas formas teatrais cria uma espécie de insatisfação que necessita complementar-se através da *ação real*.

IV. QUARTA ETAPA: TEATRO COMO DISCURSO

Jorge Ishizawa dizia que o teatro da burguesia é o espetáculo acabado. A burguesia já sabe como é o mundo, o seu mundo, e pode portanto apresentar imagens desse mundo completo, terminado. A burguesia apresenta o espetáculo. O proletariado e as classes exploradas, ao contrário, não sabem ainda como será o *seu* mundo; consequentemente, o seu teatro será o ensaio e não o espetáculo acabado. Isso tem muito de verdade, ainda que seja igualmente verdadeiro que o teatro pode apresentar imagens de "trânsito".

Em toda minha atividade, em tantos e tão diferentes países da América Latina, pude observar esta verdade: os públicos populares estão sobretudo interessados em experimentar, ensaiar, e se chateiam com a apresentação de espetáculos fechados. Nesses casos, tentam dialogar com os atores em ação, interromper a história, pedir explicações sem esperar "educadamente" que o espetáculo termine. Ao contrário da educação burguesa, a educação popular ajuda e estimula o espectador a fazer perguntas, a dialogar, a participar.

Todas essas formas que expus até aqui são formas de teatro-ensaio e não de teatro-espetáculo. São experiências que se sabe como começam mas não como terminam, porque o espectador está livre de suas correntes e finalmente atua e se converte em protagonista. Porque respondem a necessidades reais do público popular, são sempre praticadas com êxito e com alegria.

Mas nada disso impede que um público popular possa igualmente praticar formas mais "acabadas" de teatro. Na experiência peruana foram utilizadas igualmente muitas outras formas desenvolvidas antes em outros países, principalmente Argentina e Brasil, e que, também ali, tiveram grande eficácia.

Algumas dessas formas foram:

Teatro Jornal
Foi desenvolvido inicialmente pelo grupo Núcleo do Teatro de Arena de São Paulo, do qual fui diretor artístico desde 1956 até 1971, quando tive que abandonar o Brasil por motivo de força maior. Consiste em diversas técnicas simples que permitem a transformação de

notícias de jornal ou de qualquer outro material não dramático em cenas teatrais. Exemplos:

Leitura simples — a notícia é lida destacando-se do contexto do jornal, da diagramação, que a torna falsa ou tendenciosa — isolada do resto do jornal, readquire sua verdade objetiva;

Leitura cruzada — duas notícias são lidas de forma cruzada, uma lançando nova luz sobre a outra e dando-lhe uma nova dimensão;

Leitura complementar — à notícia do jornal acrescentam-se dados e informações geralmente omitidos pelos jornais das classes dominantes;

Leitura com ritmo — a notícia é cantada em vez de lida, usando-se o ritmo mais indicado para se transmitir o conteúdo que se deseja: samba, tango, canto gregoriano, bolero, de tal forma que o ritmo funcione como verdadeiro filtro crítico da notícia, revelando seu verdadeiro conteúdo, oculto nas páginas dos jornais;

Ação paralela — paralelamente à leitura da notícia, os atores mimetizam ações físicas, mostrando em que contexto o fato descrito ocorreu verdadeiramente; ouve-se a notícia e, ao mesmo tempo, veem-se imagens que a complementam;

Improvisação — a notícia é improvisada cenicamente, explorando-se todas as suas variantes e possibilidades;

Histórico — a notícia é representada juntamente com outras cenas ou dados, que mostrem o mesmo fato em outros momentos históricos, ou em outros países, ou em outros sistemas sociais;

Reforço — a notícia é lida, ou cantada, ou bailada, com a ajuda de slides, jingles, canções ou material de publicidade;

Concreção da abstração — concretiza-se cenicamente o que a notícia às vezes esconde em sua informação puramente abstrata: mostra-se concretamente a tortura, a fome, o desemprego etc., mostrando-se imagens gráficas, reais ou simbólicas;

Texto fora do contexto — uma notícia é representada fora do contexto em que sai publicada: por exemplo, um ator representa o discurso sobre austeridade pronunciado por um ministro da Economia enquanto devora um enorme jantar; a verdade do discurso fica assim desmistificada: quer austeridade para o povo, mas não para si mesmo.

Teatro Invisível

Consiste na representação de uma cena em um ambiente que não seja o teatro e diante de pessoas que não sejam espectadores. O lugar pode ser um restaurante, uma fila, uma rua, um mercado, um trem etc. As pessoas que assistem à cena serão as pessoas que aí se encontrem acidentalmente. Durante todo o "espetáculo", essas pessoas não devem sequer desconfiar de que se trata de um espetáculo, pois, se assim fosse, imediatamente se transformariam em "espectadores".

Um espetáculo de Teatro Invisível deve ser minuciosamente preparado (com texto ou simples roteiro), não apenas no que se refere à cena em si mesma e às relações entre os atores, como também no que diz respeito à provável participação dos "espectadores": todos os atores devem estar preparados para incorporar nas suas interpretações todas as interferências possíveis dos espectadores. Essas possíveis interferências deverão ser previstas na medida do possível, durante os ensaios, e formarão uma espécie de texto optativo.

O Teatro Invisível deve "explodir" em um determinado local de grande afluência de pessoas. Todas as pessoas próximas devem ser envolvidas pela explosão, e os efeitos desta muitas vezes perduram até depois de muito tempo de terminada a cena.

Um pequeno exemplo mostra o funcionamento, em linhas gerais, do Teatro Invisível: num enorme hotel de Chaclacayo, onde estavam hospedadas as brigadas de alfabetizadores, além de mais quatrocentas pessoas, os atores se reuniam no restaurante e se sentavam em mesas separadas. Os garçons começaram a servir. O *protagonista*, em voz mais ou menos alta para atrair a atenção dos demais, mas não de forma óbvia, informa ao garçom que não pode continuar comendo a comida que esse hotel habitualmente oferece porque, na sua opinião, é muito ruim. O garçom não gosta da observação mas diz que ele poderá escolher o que quiser do menu, algo que mais lhe agrade. O *protagonista* escolhe uma comida chamada "churrasco de pobre". O garçom adverte que custa setenta soles, mas o protagonista, com a voz sempre razoavelmente alta, diz que não tem problema. Minutos depois, o garçom traz o churrasco, o protagonista come rapidamente e se prepara

para ir embora do restaurante, quando o garçom traz a conta. O protagonista faz cara de preocupado, diz aos seus vizinhos de mesa que o churrasco estava excelente e que sem dúvida era muito melhor do que a comida que eles estavam comendo, mas que era uma pena que agora teria que pagar a conta.

"— Mas não se preocupe. Não, que eu vou pagar. Comi o churrasco de pobre e vou pagar. Só que tem um problema: eu não tenho dinheiro nenhum..."

"— E como é que vai pagar, se não tem dinheiro? — perguntou, indignado, o garçom. — O senhor sabia muito bem qual era o preço antes de pedir o churrasco. Vai ter que pagar de qualquer maneira..."

É claro que os vizinhos seguiam atentamente esse diálogo; muito mais atentamente do que se soubessem que era uma cena de teatro e se estivessem sentados numa plateia. O protagonista continuou:

"— Não se preocupe não, meu amigo, eu vou pagar, como não? Mas, como eu não tenho dinheiro, vou pagar em força de trabalho..."

"— Em força do quê? — perguntou o garçom, atônito."

"— Em força de trabalho, nada mais nada menos. Dinheiro eu não tenho, mas posso alugar a minha força de trabalho. Quer dizer: eu posso trabalhar pra vocês durante tantas horas quantas sejam necessárias pra pagar o meu Churrasco de Pobre que, pra dizer a verdade, estava uma delícia, estava muito melhor do que essa porcaria que vocês servem a todo mundo..."

Nessa altura, alguns dos comensais intervêm, fazem comentários entre eles mesmos em suas mesas, discutem o preço da comida, a qualidade dos serviços do hotel etc., e o garçom chama o *maître* para decidir a questão. O protagonista, uma vez mais, explica o assunto — esse de alugar a força de trabalho, e acrescenta:

"— Além disso, tem outro problema: eu estou disposto a alugar a minha força de trabalho, mas, na verdade, eu não sei fazer nada, ou quase nada... Por isso, vocês vão ter que me dar um emprego bem humilde, bem modesto... Por exemplo: posso jogar fora o lixo do hotel. Quanto ganha o lixeiro que trabalha pra vocês?"

O *maître*, como é lógico, não quer dar nenhuma informação sobre salários, por isso um segundo ator, sentado em outra mesa, já está preparado para essa eventualidade previsível e explica que ele é amigo do lixeiro e que este ganha nada mais do que sete soles por hora. Os atores fazem as contas e o protagonista exclama:

"— Não é possível! Quer dizer que, se eu trabalhar como lixeiro, vou ter que trabalhar dez horas pra poder comer esse churrasco de pobre?! Dez horas pra pagar um churrasco que comi em dez minutos??? Não pode ser! Vocês vão ter que aumentar o salário do lixeiro ou diminuir o preço do churrasco! Mas, no meu caso, talvez eu possa fazer uma coisa mais especializada, por exemplo, posso cuidar dos jardins do hotel, que são tão bonitos, que estão tão bem cuidados; o jardineiro é uma pessoa com muito talento, não resta dúvida... Quanto ganha o jardineiro deste hotel? Eu vou trabalhar de jardineiro. Quantas horas vou ter que trabalhar nesse jardim pra poder pagar o meu churrasco de pobre?"

Outro ator, noutra mesa, explica sua amizade com o jardineiro, que é oriundo do mesmo povoado que ele; por isso, sabe que o jardineiro ganha dez soles por hora. E outra vez o protagonista não se conforma:

"— Como é possível uma coisa dessas??? O homem que cuida desses jardins tão lindos, que passa os dias aí fora exposto ao vento, ao sol e à chuva, tem que trabalhar sete horas seguidas para poder comer um churrasco em dez minutos? Não pode ser!!! Explique como é que é isso, seu *maître*?"

O *maître* já está desesperado; vai e volta, dá ordens em voz alta aos demais garçons para distrair a atenção dos comensais, ri e fica sério, enquanto todo o restaurante se transforma em uma assembleia. O protagonista termina por perguntar ao próprio garçom quanto é que ele ganha para servir à mesa e se oferece para substituí-lo o tempo que seja necessário. Um outro ator, proveniente de um pequeno povoado interiorano, informa que no seu povoado ninguém, absolutamente ninguém, ganha o salário de setenta soles por dia, e, portanto, ninguém do seu povoado poderia comer esse churrasco de pobre. (A sinceridade desse ator que, além disso, estava dizendo a verdade, comoveu todos os que estavam perto de sua mesa.)

Finalmente, concluindo a cena, um outro ator propõe:

"— Companheiros, isso está dando a impressão de que nós estamos contra o garçom e contra o *maître*, e isso não tem sentido, isso

Uma experiência de teatro popular no Peru — Teatro como discurso   159 não é verdade. Eles são companheiros nossos, trabalham como nós, e não têm culpa se os preços são altos. Proponho fazer uma coleta: nós quatro, desta mesa, vamos pedir que cada um contribua com o que pode, um sol, dois soles, cinco soles, com o que puderem. E, com esse dinheiro, vamos pagar o churrasco. E sejam generosos, porque o dinheiro que sobrar fica de gorjeta para o garçom, que é nosso companheiro e é um trabalhador."

Ato contínuo, os que estão com ele na mesma mesa se levantam e começam a coletar dinheiro para pagar a conta. Algumas pessoas dão um ou dois soles, outras comentam, raivosas:

"— Ele disse que a comida que nós comemos aqui é uma porcaria e agora quer que a gente pague o churrasco que ele comeu...? E essa porcaria, quem vai comer? Eu? Não dou um tostão, para que aprenda. Que vá lavar os pratos..."

A arrecadação quase chegou aos cem soles, e a discussão continuou durante toda a noite.

É importante insistir que, nesta forma de Teatro Invisível, os atores não se podem revelar como tais: precisamente nisso reside o caráter *invisível* desta forma de teatro. E precisamente esse caráter de invisibilidade fará com que o espectador atue livremente, totalmente, como se estivesse vivendo uma situação real: afinal de contas, *a situação é real*!

Deve-se insistir igualmente em que o Teatro Invisível não é o mesmo que o *happening* ou o *guerrilla theatre*: nestes, fica bem claro que se trata de "teatro" e, portanto, surge imediatamente o muro que separa atores de espectadores, e estes são obviamente reduzidos à impotência: *um espectador é sempre menos do que um homem*! No Teatro Invisível, os rituais teatrais são abolidos: existe apenas o teatro, sem as suas formas velhas e gastas. A energia teatral é completamente liberdade, e o impacto que este teatro livre causa é muito mais violento e duradouro.

No Peru, fizeram-se espetáculos de Teatro Invisível em distintos lugares. Vale a pena narrar brevemente o sucedido no Mercado del Carmen, no bairro de Comas, a uns catorze quilômetros do centro de Lima. Duas atrizes protagonizavam uma cena diante de um vendedor de verduras. Uma, que se fazia passar por analfabeta, insistia em que o vendedor estava roubando nos preços, aproveitando-se de que ela não sabia ler; a outra refazia as contas que estavam corretas e aconselhava a primeira a entrar para um dos cursos de alfabetização do ALFIN. Depois de muita discussão sobre qual era a melhor idade para começar a estudar, da qual participaram todas as pessoas próximas, feirantes e compradores, depois de discutir como e com quem estudar, a primeira continuava insistindo em que era demasiado velha para essas coisas. Foi aí que uma velhinha, dessas que já se apoiam em uma bengalinha, comentou, indignada: "— Minha filha, isso não é verdade. Para aprender e para fazer o amor, não há idade!".

É claro que todos os que presenciaram essa cena começaram a rir da violência amorosa da velha dama, e as duas atrizes não encontraram ambiente para continuar a cena.

Teatro Fotonovela

Em muitos países latino-americanos existe uma verdadeira epidemia de fotonovelas, que se utilizam do mais baixo que se possa imaginar em matéria de subliteratura, além de servir sempre como veículo da ideologia das classes dominantes. O Teatro Fotonovela objetiva a desmistificação da fotonovela e consiste em ler para os participantes, em linhas gerais, o texto de uma fotonovela, pedindo-lhes que representem a história que se vai contando. Os participantes não devem saber aprioristicamente que se trata de fotonovela. Deve representar a história da maneira que lhes pareça mais correta. Quando terminem, compara-se a história tal como foi representada com a versão original da fotonovela, e se discutem as diferenças.

Por exemplo, conto uma história de Corín Tellado, talvez o mais horrível autor desse gênero embrutecedor. É uma história bastante imbecil, que começa assim: "Uma senhora está esperando que o seu marido retorne para casa; está em companhia de uma outra senhora que a ajuda nos trabalhos de casa".

Na favela, os participantes representavam essas indicações da maneira como estavam habituados, segundo seus costumes: uma mulher que está esperando o regresso do marido, naturalmente estará preparando o jantar; se uma mulher a ajuda, naturalmente trata-se de uma vizinha que vem conversar e bate papo enquanto dá uma mãozinha; o marido volta cansado depois de um intenso dia de trabalho; a "casa" é uma choça de um só cômodo etc. etc. Em Corín Tellado, é tudo ao contrário: a mulher está com um vestido de noite e colares de pérolas, a mulher que a ajuda é uma empregada negra que não diz mais que "sim, senhora", "pois não, senhora", "o jantar está servido, senhora", "aí vem o senhor, senhora"; a casa é um palácio cheio de mármores; o marido regressa depois de uma jornada de trabalho em "sua" fábrica, onde havia discutido com os operários porque estes, "não compreendendo a crise em que vivemos todos, queriam aumento de salários...", e por aí afora.

Esta história, particularmente, era uma porcaria, mas servia como excelente exemplo de penetração ideológica. A jovem senhora recebia uma carta de uma desconhecida, ia visitá-la e descobria que se tratava de uma ex-amante de seu marido; a amante lhe contava que o marido a havia abandonado porque se queria casar com a filha do dono da fábrica, ou seja, a jovem senhora. Num rompante, a "outra" exclamava: "— Sim, ele me traiu casando-se com você. Mas eu o perdoo porque, afinal de contas, ele sempre foi muito ambicioso e sabia muito bem que comigo não podia subir demasiado alto. Mas com você, sim, pode".

Quer dizer: a ex-amante perdoava o rapaz porque ele possuía no mais alto grau a ânsia capitalista de tudo possuir! A vontade de ser proprietário de fábricas, de subir na vida a qualquer preço, está apresentada como sendo algo tão nobre que até se perdoam algumas traições pelo caminho.

A jovem esposa não deixa por menos: faz de conta que está doente para obrigar o marido a ficar ao seu lado e para que, através dessa artimanha, finalmente se apaixone por ela. Que ideologia! O mais putrefato *happy ending* coroa essa história de amor.

É evidente que essa história, sem os diálogos de Corín Tellado e contada por gente do povo, assume características completamente diferentes. Quando, no final da representação, os participantes são informados da origem da história que acabam de representar, sofrem um choque. Por quê? Bem, se os participantes se põem a ler Corín Tellado sabendo de quem se trata, imediatamente assumem o papel passivo de espectadores. Mas se, ao contrário, eles mesmos têm que representar uma história cuja origem ignoram e, depois, leem a versão de Corín Tellado, já agora terão uma atitude crítica, comparativa, olhando a casa da jovem senhora e comparando-a com a sua própria choça, lendo as atitudes do marido e comparando-as com as suas próprias atitudes etc. Em resumo, estarão já preparados para detectar o veneno que se infiltra através dessas fotos, como também através de historietas cômicas, telenovelas e outras formas de dominação cultural e ideológica.

Tive uma grande alegria quando, meses depois de realizada a experiência com os alfabetizadores, de regresso a Lima, fui informado de que em várias favelas muitas pessoas estavam utilizando a mesma técnica para analisar as telenovelas, fonte inesgotável de veneno contra o povo. Representavam eles mesmos as histórias da TV e depois comparavam as duas histórias, os dois elencos de personagens, os dois conteúdos. Esta é uma forma poderosa de desmistificação dos meios massivos de comunicação.

Quebra da repressão

As classes dominantes dominam as dominadas através da repressão; os velhos dominam os jovens através da repressão; certas raças a certas outras, os homens às mulheres, sempre através da repressão. Evidentemente nunca através do entendimento cordial, da honesta troca de ideias, da crítica e da autocrítica. Não. As classes dominantes, os velhos, as raças "superiores", o sexo masculino, possuem os seus quadros de valores e, pela força, os impõem às classes dominadas, aos jovens, às raças que eles consideram inferiores e às mulheres.

O capitalista não pergunta ao operário se ele está de acordo com que o capital seja de um e o trabalho de outro: simplesmente põe um policial armado à porta da fábrica e acabou o assunto. Fica decretada a propriedade privada.

A raça, classe, sexo ou idade dominada sofrem a mais constante, diária e onipresente repressão. A ideologia se torna concreta na pessoa do dominado. O proletariado é explorado através da dominação que se exerce sobre todos os proletários. A sociologia e a política se tornam psicologia. Não existe a opressão do sexo masculino "em geral" contra o sexo feminino "em geral". Existe a opressão concreta de homens (indivíduos) contra mulheres (indivíduos).

A técnica da quebra de repressão consiste em pedir a um participante que se recorde de algum momento em que se sentiu particularmente reprimido, e em que aceitou essa repressão, passando a agir de uma maneira contrária aos seus interesses, ou aos seus desejos. Esse momento tem que ter um profundo significado pessoal; eu, proletário, sou oprimido! Nós proletários, estamos oprimidos! Portanto, o proletariado é oprimido! Deve-se partir do particular para o geral e não vice-versa; deve-se escolher alguma coisa que aconteceu a alguém particularmente, mas que, ao mesmo tempo, seja típico do que acontece com todas as demais pessoas nas mesmas circunstâncias.

A pessoa que conta a história escolhe entre os demais participantes todos os que intervirão na reconstrução da cena. Em seguida, depois de receber as instruções dadas pelo protagonista (o que conta o fato), e obedientes a essas instruções, os participantes e o protagonista representam a cena tal como ocorreu na realidade, tentando recriar a mesma cena, as mesmas circunstâncias e as mesmas emoções originais.

Uma vez terminada a "reprodução" dos fatos acontecidos, pede-se que o protagonista repita a cena, mas desta vez *sem aceitar a repressão*, lutando para impor sua vontade, suas ideias e seus desejos. Os demais participantes são instados a tentar manter a mesma repressão da primeira vez. O choque que se produz ajuda a medir a possibilidade que uma pessoa às vezes tem de resistir e não resiste, ajuda a medir a verdadeira força do inimigo. Igualmente permite ao protagonista ter a oportunidade de tentar outra vez e de realizar, na ficção, o que não pôde realizar na realidade passada, preparando-se para, talvez, realizar na realidade futura. Já vimos que esses processos não são catárticos: o fato de haver *ensaiado* resistir à opressão preparará o protagonista para resistir efetivamente à repressão futura, quando a mesma volte a se apresentar.

Por outro lado, é necessário fazer com que se entenda sempre o caráter genérico do caso particular apresentado. Neste tipo de experiência teatral, é necessário sempre partir do particular, mas é igualmente necessário chegar sempre ao geral. Durante a própria cena ou depois, durante o debate, deve-se realizar *a ascese desde o fenômeno até a lei*. Desde os fenômenos que são apresentados na trama até as leis sociais que regem esses fenômenos. Os espectadores-participantes devem sair da experiência enriquecidos com o conhecimento dessas leis, obtido através da análise dos fenômenos.

Teatro Mito

Trata-se simplesmente de descobrir o óbvio atrás do mito: contar uma história (um mito conhecido) de uma forma lógica, revelando as verdades, evidenciando as verdades escondidas.

Numa localidade chamada Motupe existia um pequeno morro, com um caminho muito estreito através das árvores que o cobriam e do denso matagal que o cobria até o topo. No meio do caminho havia uma cruz: até aí se podia subir, porém ultrapassar a cruz era perigoso e mesmo fatal. As poucas pessoas que o haviam tentado jamais retornaram. Existia na região o mito de certos fantasmas sanguinários que habitavam o topo da montanha. Mas também se conta a história de um jovem corajoso que subiu até o cimo, armado, e ali encontrou os "fantasmas", que nada mais eram do que ianques, proprietários de uma mina de ouro situada precisamente no topo daquele cerro.

Conta-se também a história da lagoa de Cheken: antigamente (assim diz a lenda) aí não havia água e todos os camponeses morriam de sede e tinham que viajar quilômetros para conseguir um copo de água. Hoje existe uma lagoa que, antes da reforma agrária, foi propriedade de um latifundiário do lugar. Como surgiu essa lagoa e como se converteu em propriedade de um só homem? A lenda assim o explica: quando ainda não existia água, em um dia de intenso calor, quando todo o povo chorava pedindo aos céus que lhes enviassem pelo menos um mísero riachuelo — e os céus impiedosos não respondiam nem com um chuvisco —, em um dia como esse, ou melhor, à meia-noite desse dia, surgiu no horizonte um senhor com um comprido poncho negro, montado em cavalo negro e assim falou com o latifundiário (que nessa época era ainda um pobre camponês, como todos os demais):

"— Eu te darei uma lagoa, mas tu me tens que dar o que de mais precioso possuas!"

O pobre homem, muito aflito, gemeu:

"— Eu nada tenho de meu, sou tão pobre e miserável. Aqui sofremos muito pela falta d'água, vivemos todos em miseráveis choças, padecemos a fome mais cruel. De precioso não temos nada, nem as nossas vidas, que tão pouco valem. E eu, particularmente, de precioso tenho minhas três filhas, e nada mais..."

"— E das três a mais bela é a maior!" — assegurou o estranho personagem vestido de negro, montado em negro cavalo. "— E te darei uma lagoa cheia da água mais fresca de todo o Peru, mas em troca tu me darás tua filha, a maiorzinha, para que eu me case com ela..."

O futuro latifundiário pensou muito e muito chorou, e perguntou à sua aterrorizada filha mais velha o que deviam fazer, se aceitar ou não tão insólita proposta de casamento. A filha obediente assim se expressou:

"— Se é para a salvação de todos e para que se termine a sede e a fome de todos os camponeses, se é para que tenhas a lagoa com a água mais fresca de todo o Peru, se é para que essa lagoa te pertença a ti e só a ti, e que faça a sua prosperidade pessoal e a tua riqueza, pois que poderás vender essa água tão maravilhosa a todos os demais camponeses, que serão teus fregueses, pois para eles será muito mais barato comprar a água aqui tão perto sem ter que viajar para tão longe, se é para que tudo isso aconteça, vai dizer ao senhor de negro poncho, montado em negro cavalo, que vou com ele, embora desconfie em meu coração da sua verdadeira identidade e dos lugares aonde me leva..."

Dito e feito: feliz e contente (e também, é claro, com algumas lagrimazinhas) foi o bondoso pai contar tudo ao homem de negro, enquanto a filha maior, antes de ir embora, e para adiantar o trabalho, escrevia o preço do litro d'água em uns cartõezinhos muito bonitinhos. O senhor de negro desnudou a jovem, pois que nada queria levar dessa casa mais do que a jovem em si, e montou com ela, em seu cavalo, que partiu a galope em direção a um vale. Ouviu-se então uma enorme explosão, e apareceram chamas e fumaça no lugar por onde iam cavalo e cavaleiro, que desapareceram no mesmo instante, juntamente com a jovem desnudada! Produziu-se no solo um buracão enorme e, enquanto a fumaça se dissipava, começou aí a brotar uma fonte que formou a lagoa de Cheken, a de água mais fresca de todo o Peru...

Esse mito esconde por certo uma verdade: o latifundiário se apropriou daquilo que não lhe pertencia. Se antes os nobres atribuíam a Deus (nada menos!) a outorga de suas propriedades e direitos, ainda hoje se usam explicações não menos mágicas. Nesse caso, a propriedade da lagoa era explicada pela perda da filha mais velha, que era o que de mais precioso possuía o latifundiário: houve, portanto, uma transação! E para que todos se lembrassem disso muito bem, dizia a lenda que, em noite de lua cheia, podiam-se ouvir os cânticos da jovem desnuda no fundo da lagoa, chorando de saudade de seu pai e de suas irmãs, penteando seus longos cabelos com um pente de ouro... E na verdade, para aquele latifundiário, aquela lagoa era de ouro...

Teatro Julgamento

Um dos participantes conta uma história e em seguida os atores improvisam. Depois se *decompõe* cada personagem em todos os seus papéis sociais, e pede-se que os participantes escolham um objeto físico, cenográfico, para simbolizar cada papel. Por exemplo: um policial matou um ladrão de galinhas. E o policial pode ser assim *decomposto*:

a) É um operário, porque aluga sua força de trabalho; símbolo: um macacão;

b) É burguês, porque defende a propriedade privada e a valoriza mais do que a própria vida humana; símbolo: uma gravata, um chapéu etc.

c) É repressor, porque é policial; símbolo: um revólver.

E assim sucessivamente até que os participantes tenham analisado todos os seus papéis possíveis: pai de família (símbolo: a carteira de dinheiro?; ou uma cadeira maior do que as outras?), companheiro de uma sociedade de amigos de bairro etc. É importante que os símbolos sejam escolhidos pelos participantes presentes e que não venham "de cima". Para determinada comunidade, a carteira de dinheiro pode ser o símbolo de um pai de família, por ser a pessoa que controla as finanças da casa e que, através disso, controla a família. Para outra comunidade, pode esse símbolo não simbolizar nada, isto é, pode ser que não seja *símbolo*.

Depois de decomposto o personagem, ou os personagens (é conveniente que esta operação se faça apenas com o personagem ou com os personagens centrais, para maior simplicidade e eficácia), tenta-se contar outra vez a mesma história, mas agora retirando-se alguns símbolos a cada personagem e, consequentemente, alguns papéis sociais.

Uma experiência de teatro popular no Peru — Teatro como discurso

Seria a história exatamente a mesma se:

1. O policial não tivesse a gravata (ou chapéu)?;
2. Se o ladrão tivesse uma gravata (ou chapéu)?;
3. Se o ladrão tivesse um revólver?;
4. Se o policial e o ladrão tivessem ambos o símbolo de uma sociedade de amigos do bairro?

Pede-se aos participantes que façam combinações, propostas que devem depois ser ensaiadas pelos atores e criticadas por todos os presentes. Assim se poderá perceber, graficamente, que as ações humanas não são fruto exclusivo nem primordial da psicologia individual: quase sempre, através do indivíduo, fala a sua classe!

Rituais e máscaras

As relações de produção (infraestrutura) determinam a cultura de uma sociedade (superestrutura). Às vezes, modifica-se a infraestrutura, mas a superestrutura permanece, por algum tempo, a mesma. No Brasil, os latifundiários não permitiam que os camponeses olhassem para eles cara a cara, olho no olho, porque isso seria considerado falta de respeito. Os camponeses se haviam acostumado a falar com os senhores da terra com os olhos pregados no chão: "Sim, senhor; sim, senhor; sim, senhor!". Quando (evidentemente antes de 1964) o governo decretou a reforma agrária, os funcionários governamentais iam ao campo comunicar aos camponeses a nova lei, segundo a qual se poderiam converter em proprietários da terra que cultivavam, os camponeses, olhando o chão, murmuravam: "Sim, companheiro; sim, companheiro; sim, companheiro...". A cultura feudal estava totalmente impregnada em suas vidas... As relações do camponês com o latifundiário e com o companheiro do Instituto de Reforma Agrária eram completamente diferentes, porém o ritual continuava o mesmo. A razão talvez resida no fato de que, nos dois casos, o camponês era o espectador passivo: no primeiro caso lhe tiravam a terra, no segundo lhe outorgavam. Certamente não aconteceu o mesmo em Cuba: aí os camponeses foram protagonistas da reforma agrária!

Esta particular técnica de teatro popular (rituais e máscaras) consiste precisamente em revelar as superestruturas, os rituais que *coisifi-*

cam todas as relações humanas, e as máscaras de comportamento social que esses rituais impõem sobre cada pessoa, segundo os papéis que ela desempenha na sociedade e os rituais que deve representar.

Um exemplo muito simples: um homem vai ao confessor confessar seus pecados. Como o fará? Claro que se ajoelha, confessa seus pecados, ouve a penitência, faz o sinal da cruz e vai embora. Mas todos os homens se confessarão sempre da mesma maneira diante de todos os padres? Quem é o homem e quem é o padre? Isso importa muito.

Nesse caso são necessários atores versáteis para representar quatro vezes a mesma cena da confissão:
1. O padre e o fiel são latifundiários;
2. O padre é latifundiário e o fiel é camponês;
3. O padre é camponês e o fiel é latifundiário;
4. O padre e o fiel são camponeses.

O ritual é aqui sempre o mesmo, porém as máscaras sociais são diferentes e farão com que as quatro cenas sejam igualmente diferentes.

Esta técnica é extraordinariamente rica e possui inúmeras variantes: o mesmo ritual mudando de máscaras; o mesmo ritual feito por pessoas de uma classe social e depois de outra; intercâmbio de máscaras dentro do mesmo ritual etc. etc. etc.

V. Conclusão: "Espectador", que palavra feia!

Sim, esta é, sem dúvida, a conclusão: espectador, que palavra feia! O espectador, ser passivo, é menos que um homem e é necessário reumanizá-lo, restituir-lhe sua capacidade de ação em toda sua plenitude. Ele deve ser também o sujeito, um ator, em igualdade de condições com os atores, que devem por sua vez ser também espectadores. Todas essas experiências de teatro popular perseguem o mesmo objetivo: a libertação do espectador, sobre quem o teatro se habituou a impor visões acabadas do mundo. E considerando que quem faz teatro, em geral, são pessoas direta ou indiretamente ligadas às classes dominantes, é lógico que essas imagens acabadas sejam as imagens da classe dominante. O espectador do teatro popular (o povo) não pode continuar sendo vítima passiva dessas imagens.

Como vimos no primeiro ensaio deste livro, a poética de Aristóteles é a Poética da Opressão: o mundo é dado como conhecido, perfeito ou a caminho da perfeição, e todos os seus valores são impostos aos espectadores. Estes passivamente delegam poderes aos personagens para que atuem e pensem em seu lugar. Ao fazê-lo, os espectadores se purificam de sua falha trágica — isto é, de algo capaz de transformar a sociedade. *Produz-se a catarse do ímpeto revolucionário! A ação dramática substitui a ação real.*

A poética de Brecht é a Poética da Conscientização: o mundo se revela transformável e a transformação começa no teatro mesmo, pois o espectador já não delega poderes ao personagem para que pense em seu lugar, embora continue delegando-lhe poderes para que atue em seu lugar. A experiência é reveladora ao nível da consciência, mas não globalmente ao nível da ação. *A ação dramática esclarece a ação real.* O espetáculo é uma preparação para a ação.

A Poética do Oprimido é essencialmente uma Poética da Liberação: o espectador já não delega poderes aos personagens nem para que pensem nem para que atuem em seu lugar. O espectador se libera: pensa e age por si mesmo! *Teatro é ação!*

Pode ser que o teatro não seja revolucionário em si mesmo, mas não tenham dúvidas: *é um ensaio da revolução!*

Buenos Aires, dezembro de 1973

Quadro de diversas linguagens

Comunicação da realidade	Constatação da realidade	Transformação da realidade
Linguagem	Léxico (vocabulário)	Sintaxe
Idioma	Palavras	Oração (sujeito, objeto, predicado verbal etc.)
Música	Instrumentos musicais, e seus sons (timbre, tonalidade etc.) e notas	Frase musical, melodia e ritmo
Pintura	Cores e formas	Cada estilo possui sua própria sintaxe
Cinema	Imagem (secundariamente, a música e a palavra)	Montagem: corte, fusão, superposição, fade in, fade out, travelling etc.
Teatro	Soma de todas as linguagens possíveis: palavras, cores, formas, movimentos, sons etc.	Ação dramática

B) O SISTEMA CORINGA

I. ETAPAS DO TEATRO DE ARENA DE SÃO PAULO

O SNT (Serviço Nacional do Teatro) desejou publicar uma espécie de inventário do teatro brasileiro nestes últimos quinze anos. Geralmente, os inventários são publicados depois da morte definitiva do falecente. Nesse caso, publica-se com pequena antecedência: o teatro, no Brasil, vive seus momentos agônicos.

Para este panegírico polifônico muitos artistas foram convidados. O que dissemos em nossa declaração pretendemos neste artigo resumir. Deve-se notar que falamos sempre segundo a perspectiva muito especial do Teatro de Arena — isso não por hipertrofia da participação deste elenco no teatro paulista, mas sim por terem sido esses os limites impostos a este depoimento.

Pensando no teatro em São Paulo, devemos constatar que, em verdade, à classe teatral não cabe nenhuma culpa desta morte juvenil. Não foram os elencos que subitamente passaram a apresentar espetáculos inadequados às suas plateias. A presente morte não vem para "certas tendências" ou "certas correntes": é morte total, genérica.

De quem a culpa, se há culpados? Este inventário só terá sentido se procurar descobri-los, já que se destina, creio, a encontrar soluções possíveis e imediatas, e não é contemplação nirvânica do sucedido. Devemos analisar as causas do atual malogro, para melhor vislumbrar as vias de fuga ao desastre, utilizando esta série de artigos como entendimento do passado e organização do futuro.

Um inglês, certa vez, pretendeu habituar seu cavalo a viver em condições perfeitamente normais, porém sem alimentação. Para isso, dava-lhe cada vez menos comida, até que um dia o equino, já quase acostumado à inanição, inesperadamente morreu. O inglês pôs-se a procurar profundas causas psicossociológicas para explicar o passamento. Veio um profeta e disse: "Morreu de fome".

Essa história esopiana não pretende afirmar que o teatro seja equestre e a plateia, capim; mas, sem plateia, os artistas não comem, por mais simbolistas que sejam. E, portanto, o feijão com arroz nossos de cada dia devem ser procurados alhures na TV ou em outras profissões.

Os artistas debandam, como consequência mecânica da debandada do público. E por que debanda o público?

Tempos atrás, o dinheiro e a inflação apostavam corrida. Hoje, o dinheiro parou de crescer e a inflação só acabou para quem tem mordomo e não vai à feira. A plateia, em geral, constitui-se de gente sem mordomia. Por isso, a carência de dinheiro elimina do orçamento doméstico todas as atividades familiares dispensáveis ou substituíveis: quem não tem cão caça com gato, quem não vai ao teatro vê televisão do vizinho.

O sucesso de uma peça, até 1964 mais ou menos, promovia o sucesso de outras: a plateia ficava com um gostinho na boca, queria mais. Hoje, os poucos espectadores fanáticos remanescentes são disputados à faca pelas poucas companhias remanescentes e fanáticas. O espectador que vai uma vez ao teatro pratica, assim, sua boa ação de cada ano e dificilmente volta a repetir a experiência onerosa.

O que está acontecendo com o teatro brasileiro no momento não difere do que acontece com os demais setores da atividade nacional. E, da mesma forma que as falências e concordatas de tantas indústrias e comércios não se explicam pela qualidade do produto que fabricavam ou vendiam, também a falência teatral não se explica pelo valor ou características estéticas das peças apresentadas. Bons ou maus produtos, industriais ou estéticos, encontravam antes compradores que hoje já não compram.

Falta dinheiro no bolso da plateia, como falta capim no estômago do cavalo: ambos emagrecem. E, apoiando a teoria do inglês da fábula, todos os Serviços e Comissões de Teatro (em qualquer nível: federal, estadual e municipal) orientam-se pelo pensamento falaz de que as companhias de teatro podem-se habituar a quaisquer condições e minguam também suas rações.

De um lado, o teatro perde seu público; de outro, perde o apoio econômico que poderia promover o barateamento dos ingressos, facilitando o retorno das plateias.

Os sintomas da crise há muito vêm sendo notados; a evidência da morte, no fim de 1966, em São Paulo, foi dada pelos anúncios em jornais: apenas uma peça em cartaz, O *fardão*, em temporada popular, pela metade do preço; e o público, ainda assim, não comparecia. Se a carreira dessa peça fosse interrompida, sairia de cartaz o teatro paulista.

Dado o malogro do teatro não ter raízes estéticas e a perdurarem as atuais causas econômicas, restar-lhe-á tão somente o retorno ao amadorismo e aos teatros-íntimos, como às siderurgias restará voltar às forjas domésticas, os carros aos coches e o poder a Pombal.

O *Teatro de Arena de São Paulo*

Os elencos nacionais, independentemente da qualidade de seus espetáculos, dividem-se em clássicos e revolucionários. São clássicos não os que montam obras clássicas, mas os que procuram desenvolver e cristalizar um mesmo estilo através de seus vários espetáculos. Nesse sentido, o senhor Oscar Ornstein seria um produtor "clássico", já que seus espetáculos procuram aperfeiçoar sempre a novela radiofônica em termos vagamente teatrais. "Clássico" foi o TBC (Teatro Brasileiro de Comédia) dos áureos tempos: muita gente ainda sofre de saudades da elegância de todos os seus espetáculos: *Ralé* e *Antígona*, Goldoni e Pirandello, eram formosos. A formosura era a suprema meta clássica daquelas neves de antanho. Clássico, portanto, é qualquer elenco que se desenvolva e se mantenha dentro dos limites de qualquer estilo, louvável ou pecaminoso. Assim, o "teatro de caminhão" dos vários Centros Populares de Cultura mantinha-se numa linha clássica.

Já o Teatro de Arena de São Paulo elabora a outra tendência, a do teatro revolucionário — e eu estou sempre falando no bom sentido. O seu desenvolvimento é feito por etapas que não se cristalizam nunca e que se sucedem no tempo, coordenada e necessariamente. A coordenação é artística e a necessidade, social.

Primeira etapa: *não era possível continuar assim*

Em 1956, o Arena iniciou sua fase "realista". Entre outras características que trazia, essa etapa significou um "não" respondido ao teatro que se praticava. Qual?

Ainda nesse ano, o panorama paulista era dominado pela estética do TBC, teatro fundado — e quem o disse foi seu fundador — entre dois copos de uísque, para orgulho da "cidade que mais cresce". Feito

O Sistema Coringa — Etapas do Teatro de Arena de São Paulo   175 por quem de dinheiro para quem também o tivesse. Luxo indiscriminado cobrindo Górki e Goldoni. Teatro para mostrar ao mundo: "Aqui também se faz o bom teatro europeu. *On parle français*. Somos província distante, mas temos alma de Velho Mundo".

Era a nostalgia de estar distante, mas alegria de fazer quase igual. O Arena descobriu que estávamos longe dos "grandes centros" mas perto de nós mesmos — e quis fazer um teatro que estivesse perto.

Perto de onde? De sua plateia. Quem era? Bem, aqui vem outra história. Quando surgiu o TBC, em nossos palcos estavam os divos, atores-empresários, que em si centralizavam todo o espetáculo, pisando num pedestal de *supporting-casts* e "N.N.". As plateias eram impedidas de ver os personagens, já que as estrelas se mostravam, prioritariamente, idênticas a si mesmas, em qualquer texto. Eram poucas as estrelas e já tinham todas sido vistas. A plateia fartou-se e abandonou-as.

Com isso rompeu o TBC. Teatro de equipe: conceito novo. A plateia voltou para ver e misturou-se aos frequentadores de estreias. Se estes eram a elite financeira de São Paulo, aquela era a classe média. A princípio, esse conúbio foi feliz. Mas a incompatibilidade de gênios das duas plateias cedo ia mostrar-se.

A primeira etapa do Arena veio responder às necessidades desta ruptura, e veio satisfazer a classe média. Esta fartou-se das encenações abstratas e belas e, à impecável dicção britânica, preferiu que os atores, sendo gagos, fossem gagos; sendo brasileiros, falassem português, misturando tu e você.

O Arena devia responder com peças nacionais e interpretações brasileiras. Porém, peças não havia. Os poucos autores nacionais de então preocupavam-se especialmente com mitos gregos. Nelson Rodrigues chegou a ser ovacionado com a seguinte frase, que consta da orelha de um dos seus livros: "Nelson cria, pela primeira vez no Brasil, o drama que reflete o verdadeiro sentimento trágico grego da existência". Estávamos interessados em combater o italianismo do TBC, mas não ao preço de nos helenizarmos. Portanto, só nos restava utilizar textos modernos realistas, ainda que de autores estrangeiros.

O realismo tinha, entre outras vantagens, a de ser mais fácil de realizar. Se antes usava-se como padrão de excelência a imitação quase perfeita de Gielgud, passávamos a usar a imitação da realidade visível e próxima. A interpretação seria tão melhor na medida em que os atores fossem eles mesmos e não atores.

Fundou-se no Arena o Laboratório de Interpretação. Stanislávski foi estudado em cada palavra e praticado desde as nove da manhã até a hora de entrar em cena. Gianfrancesco Guarnieri, Oduvaldo Vianna Filho, Flávio Migliaccio, Milton Gonçalves e Nelson Xavier — são alguns dos atores que fundamentaram esse período.

As peças selecionadas nessa época foram, entre outras: *Ratos e homens*, de John Steinbeck, *Juno e o pavão*, de Sean O'Casey, *They Knew What They Wanted*, de Sidney Howard, e outras que, embora vindo mais tarde, pertencem esteticamente a essa etapa, como *Os fuzis da senhora Carrar*, de Bertolt Brecht, esta dirigida por José Renato.

O palco tradicional e a forma em arena divergem em suas adequações. Podia-se pensar, inclusive, que fosse o palco a forma mais indicada para o teatro naturalista, já que a arena revela sempre o caráter "teatral" de qualquer espetáculo: plateia diante de plateia, com atores no meio, e todos os mecanismos de teatro sem véus e visíveis: refletores, entradas e saídas, rudimentos de cenários. Surpreendentemente, a arena mostrou ser a melhor forma para o teatro-realidade, pois permite usar a técnica de *close-up*: todos os espectadores estão próximos de todos os atores; o café servido em cena é cheirado pela plateia; o macarrão comido é visto em processo de deglutição; a lágrima "furtiva" expõe seu segredo... O palco italiano, ao contrário, usa preferentemente o *long shot*.

Quanto à imagem, Guarnieri, num dos seus artigos, observou a evolução do cenário em Arena, segundo seus três momentos. Primeiro: a forma envergonhada procurava fazer-se passar por palco convencional, mostrando estruturas de portas e janelas. Como imagem, arena era apenas um palco pobre. Segundo: a arena toma consciência de ser forma autônoma e elege o despojamento absoluto — algumas palhas no chão dão ideia de celeiro, um tijolo é uma parede, e o espetáculo se concentra na interpretação do ator. Terceiro: do despojamento nasce a cenografia própria dessa forma — o melhor exemplo foi o cenário de Flávio Império para *O filho do cão*.

Quanto à interpretação, o ator reunia em si a carência do fenômeno teatral, era o demiurgo do teatro — nada sem ele se fazia e tudo a ele se resumia.

Porém, se antes os nossos caipiras eram afrancesados pelos atores luxuosos, agora, os revolucionários irlandeses eram gente do Brás. A interpretação mais brasileira era dada aos atores mais Steinbeck e O'Casey. Continuava a dicotomia, agora invertida. Tornou-se necessária a criação de uma dramaturgia que criasse personagens brasileiros para os nossos atores. Fundou-se o Seminário de Dramaturgia de São Paulo.

No princípio, era a descrença: como seriam transformados em autores jovens de pouca idade, sem quase experiência de vida ou de palco? Juntaram-se doze, estudaram, discutiram, escreveram. E pôde-se iniciar a segunda etapa.

Segunda etapa: a fotografia

Em fevereiro de 1958, começou. *Eles não usam black-tie*, de Gianfrancesco Guarnieri, foi a primeira, e ficou todo o ano em cartaz até 1959. Pela primeira vez, em nosso teatro, o drama urbano e proletário.

Durante quatro anos (até 1962), muitos estreantes foram lançados: Oduvaldo Vianna Filho (*Chapetuba F.C.*), Roberto Freire (*Gente como a gente*), Edy Lima (*A farsa da esposa perfeita*), Augusto Boal (*Revolução na América do Sul*), Flávio Migliaccio (*Pintado de alegre*), Francisco de Assis (*O testamento do cangaceiro*), Benedito Ruy Barbosa (*Fogo frio*) e outros.

Foi um longo período em que o Arena fechou suas portas à dramaturgia estrangeira, independentemente de sua excelência, abrindo-as a quem quisesse falar do Brasil às plateias brasileiras.

Esta etapa coincidiu com o nacionalismo político, com o florescimento do parque industrial de São Paulo, com a criação de Brasília, com a euforia da valorização de tudo nacional.[3]

As peças tratavam do que fosse brasileiro: suborno no futebol interiorano, greve contra os capitalistas, adultério em Bagé, vida sub-humana dos empregados em ferrovias, cangaço no Nordeste e a consequente aparição de Virgens e Diabos etc.

---

[3] Na mesma época, nasceram a Bossa Nova e o Cinema Novo.

O estilo pouco variava e pouco fugia do fotográfico, seguindo demasiado de perto as pegadas do primeiro êxito da série. Eram as singularidades da vida o principal tema desse ciclo dramatúrgico. E esta foi a sua principal limitação: a plateia via o que já conhecia. Ver o vizinho no palco, ver o homem da rua, ofereceu de início grande prazer. Depois, todos perceberam que podiam vê-los fora do palco sem pagar entrada.

A interpretação, nesta fase, continuou o caminho já trilhado antes, continuou Stanislávski. Porém, antes, a ênfase interpretativa era dada a "sentir emoções"; agora, as emoções foram dialetizadas e a ênfase passou a ser posta no "fluir de emoções". Se se permite a metáfora mao-tsé-tunguiana, não mais "lagos, mas, sim, rios emocionais"... Aplicaram-se leis da Dialética: o conflito de vontades opostas desenvolve-se quantitativa e qualitativamente, dentro de uma estrutura conflitual interdependente. Assim, Stanislávski foi posto dentro de um sistema. Apesar da resistência do diretor russo em aceitar "sistemas", todas as suas teorias cabiam perfeitamente dentro deste.

A chegada de Flávio Império, que passou a integrar a equipe, trouxe, pela primeira vez, a cenografia ao Arena.

Esta fase necessariamente deveria ser superada. Suas vantagens foram imensas: os autores nacionais deixaram de ser considerados "veneno de bilheteria", já que quase todos obtiveram imenso êxito; entusiasmados pela existência de um teatro que só apresentava autores nacionais, muitos aspirantes converteram-se em dramaturgos, contribuindo com suas obras para a formação de um teatro mais brasileiro e menos mimético.

Porém, a desvantagem principal consistia em reiterar o óbvio. Queríamos um teatro mais "universal" que, sem deixar de ser brasileiro, não se reduzisse às aparências. O novo caminho começou em 1963.

Terceira etapa: nacionalização dos clássicos
Escolhemos *A mandrágora*, de Maquiavel, em tradução de Mário da Silva. Maquiavel foi o primeiro ideólogo da burguesia então nascente; nossa produção inseria-se no século da sua decadência.

E o ideólogo deste último alento é Dale Carnegie. De fato, a máxima de cada um desses pensadores são idênticas, embora opostas por quatro séculos de história. O *self-made man* do decadente é o mesmo "homem de *virtù*" do florentino.

A mandrágora, em nossa versão, foi feita não como peça acadêmica, mas como esquema político ainda hoje utilizado para a tomada do poder. O poder, na fábula, era simbolizado por Lucrécia, a jovem esposa guardada a sete chaves, mas mesmo assim acessível a quem a queira e por ela lute — sempre que se lute tendo em vista o fim que se deseja e não a moral dos meios que se usam.

Depois de *A mandrágora*, outros clássicos vieram, alguns fora da etapa: *O noviço*, de Martins Pena, *O melhor juiz, o rei*, de Lope de Vega, *Tartufo*, de Molière, *O inspetor geral*, de Gógol.

A "nacionalização" era feita diversamente, dependendo dos objetivos sociais do momento. Assim, por exemplo, *O melhor juiz, o rei* sofreu alterações profundas no texto do terceiro ato, a ponto de fazer com que a autoria se atribuísse mais aos adaptadores do que ao autor. Lope escreveu quando a evolução da história exigia a unificação das nações, sob o domínio de um rei. A obra exalta o indivíduo justo, que em suas mãos reúne todos os poderes, caridoso, bom, impoluto. Exalta o carisma. Se, para sua época, sua fábula se adequava, para a nossa e para o Brasil corria o grave risco de se transformar em texto reacionário. Por isso, tornou-se necessário alterar a própria estrutura para devolver ao texto, séculos depois, sua ideia original.

Por outro lado, *Tartufo* foi encenada sem que se lhe alterasse um alexandrino. Na época em que o texto foi montado, a hipocrisia religiosa era profusamente utilizada pelos tartufos conterrâneos, que, em nome de Deus, da Pátria, da Família, da Moral, da Liberdade etc., marchavam pelas ruas exigindo castigos divinos e militares para os ímpios. *Tartufo* profundamente desmascara esse mecanismo que consiste em transformar Deus em parceiro de luta, ao invés de mantê-lo na posição que lhe compete de Juiz Final. Nada era preciso acrescentar ou subtrair ao texto original, nem mesmo considerando que o próprio Molière, para evitar censuras tartufescas, tivesse sido obrigado a fazer, ao final, imenso elogio ao governo; bastava aí o texto em toda a sua simplicidade para que a plateia se pusesse a rir: a obra estava nacionalizada.

Esta etapa oferecia, de início, alguns problemas importantes, en-

180   Poética do Oprimido

tre eles o de estilo. Muita gente acreditava que a montagem de peças clássicas seria um retorno ao TBC, e assim não se dava conta do alcance, bem mais distante, do novo projeto. Quando montávamos Molière, Lope ou Maquiavel, nunca o estilo vigente desses autores era proposto como meta de chegada. Para que se pudesse radicar no nosso tempo e lugar, tratavam-se esses textos como se não estivessem radicados à tradição de nenhum teatro de nenhum país. Fazendo Lope não pensávamos em Alejandro Ulloa, nem pensávamos nos elencos franceses fazendo Molière. Pensávamos naqueles a quem nos queríamos dirigir, e pensávamos nas inter-relações humanas e sociais dos personagens, válidas em outras épocas e na nossa. Claro que chegávamos sempre a um "estilo" — porém nunca aprioristicamente. Isso nos dava a responsabilidade de artistas criadores e nos retirava os limites da macaqueação.

Quem prefere o já conhecido, o já avalizado pela crítica dos grandes centros, claro que não podia gostar — e muitos assim reagiram. A maioria, entretanto, sentiu-se fascinada pela aventura de compreender que um clássico só é universal na medida em que for brasileiro. Não existe o "clássico universal" que só o Old Vic ou a Comédie podem reproduzir. Nós também somos universo.

Ainda no terreno interpretativo, outra ênfase foi deslocada. Cada vez mais passou ao primeiro plano a interpretação social. Os atores passaram a construir seus personagens a partir de suas relações com os demais, e não a partir de uma discutível essência. Isto é, os personagens passaram a ser criados de fora para dentro. Percebemos que o personagem é uma redução do ator, e não uma figura que paira distante e flutua até ser alcançada por um instante de inspiração. Mas redução de que ator? Cada ser humano forma seu próprio personagem na vida real: ri da sua maneira própria, anda, fala, cria vícios de linguagem, de pensamento, de emoções: o enrijecimento de cada ser humano é o personagem que cada um cria para si mesmo. Porém, cada um é capaz de ver, sentir, pensar, ouvir, emocionar-se mais do que o faz no dia a dia. Uma vez libertado o ator de suas mecanizações cotidianas, estendidos os limites de sua percepção e expressão, este ator, assim liberto, reduz suas possibilidades àquelas exigidas pelas inter-relações nas quais desenvolve seu personagem.

O Sistema Coringa — Etapas do Teatro de Arena de São Paulo

Uma vez desenvolvida esta etapa, verificou-se sem grande esforço que, se a anterior restringia-se além do desejável na exaustiva análise de singularidades, esta reduzia-se demasiado à síntese de universalidades. Uma apresentava a existência não conceituada; outra, conceitos etéreos.

Era necessário tentar a síntese.

Quarta etapa: musicais

O Arena tem uma vasta produção de musicais. Desde que iniciou, às segundas-feiras, apresentações de cantores e instrumentistas, reunindo espetáculos sob a denominação genérica de "Bossarena", com produção de Moracy do Val e Solano Ribeiro, até algumas experiências feitas por Paulo José, como *Historinha* e *Cruzada das crianças*; desde a coprodução realizada com o Grupo Opinião, do Rio de Janeiro, do musical *Opinião*, do qual participaram Nara Leão, Maria Bethânia, Zé Keti e João do Vale, até o *one-man show A criação do mundo segundo Ari Toledo*, passando por *Um americano em Brasília*, de Nelson Lins de Barros, Francisco de Assis e Carlos Lyra, *Arena conta Bahia*, com Gilberto Gil, Caetano Veloso, Gal Costa, Tom Zé e Piti, *Tempo de guerra*, com Maria Bethânia. Muitos outros foram feitos de caráter mais episódico e circunstancial. De todos, o que me parece mais importante, pelo menos na sequência desta argumentação, é *Arena conta Zumbi*, de Guarnieri e Boal, com música de Edu Lobo.

Zumbi propunha-se a muito e o conseguiu bastante. Sua proposta fundamental foi a destruição de todas as convenções teatrais que se vinham constituindo em obstáculos ao desenvolvimento estético do teatro.

Procurava-se mais: contar uma história não da perspectiva cósmica, mas, sim, de uma perspectiva terrena bem localizada no tempo e no espaço: a perspectiva do Teatro de Arena e de seus integrantes. A história não era narrada como se existisse autonomamente: existia apenas referida a quem a contava.

Zumbi era peça de advertência contra todos os males presentes e alguns futuros. E, dado o caráter jornalístico do texto, requeria-se conotações que deveriam ser, e foram, oferecidas pela plateia. Em peças que exigem conotação, o texto é armado de tal forma a estimular respostas prontas nos espectadores. Essa armação e esse caráter determinam a simplificação de toda a estrutura. Moralmente o texto torna-se maniqueísta, o que pertence à melhor tradição do teatro sacro-medieval, por exemplo. E da mesma forma e pelos mesmos motivos por que o teatro sacro da Idade Média requeria todos os meios espetaculares disponíveis, também, no caso de *Zumbi*, o texto deveria ser amparado pela música, que, nessa peça, tinha como missão principal preparar ludicamente a plateia para receber as razões contadas.

Zumbi destruiu convenções, destruiu todas que pôde. Destruiu inclusive o que deve ser recuperado: a empatia. Não podendo identificar-se a nenhum personagem em nenhum momento, a plateia muitas vezes se colocava como observadora fria dos feitos mostrados. E a empatia deve ser reconquistada. Isso, porém, dentro de um novo sistema que a enquadre e a faça desempenhar a função que lhe seja atribuída.

Conclusão

Este é o caminho que vinha o Arena percorrendo e que percorre. Cada uma de suas etapas sempre ligadas ao desenvolvimento social do Brasil. Quando a fase nacionalista do teatro foi sucedida pela nacionalização dos clássicos, o teatro chegou ao povo, indo buscá-lo nas ruas, nas conchas acústicas, nos adros de igrejas, no Nordeste e na periferia de São Paulo. Esses espetáculos, festas populares, eram gratuitos; mas o artista é um profissional. Conseguia-se apoio econômico que tornava o desenvolvimento possível. Já não se consegue. A plateia foi golpeada. Que pode agora acontecer? O único caminho que parece agora aberto é o da elitização do teatro. E este deve ser recusado, sob pena de transformarem-se os artistas em bobos de corte burguesa, ao invés de encontrarem no povo a sua inspiração e o seu destino.

O beco não parece ter saída. A quem interessa que o teatro seja popular? Descontando-se o povo e alguns artistas renitentes, parece que a ninguém de mando e poder. Vindo o que vier, neste momento de morte clínica do teatro, muitos são os responsáveis: devemos todos analisar nossas ações e omissões.

Que cada um diga o que fez, a que veio e por que ficou. E que cada um tenha a coragem de, não sabendo por que permanece, retirar-se.

II. A necessidade do Coringa

A montagem de *Arena conta Zumbi* foi, talvez, o maior sucesso artístico e de público logrado pelo Teatro de Arena até hoje. De público, por seu caráter polêmico, por sua proposta de rediscutir um importante episódio da história nacional — utilizando para isso uma ótica moderna — e por ter revalidado a luta negra como exemplo de outra que se deve instaurar em nosso tempo. Artístico, por ter destruído algumas das convenções mais tradicionais e arraigadas do teatro, e que persistiam como mecânicas limitações estéticas da liberdade criadora.

Zumbi culminou a fase de "destruição" do teatro, de todos os seus valores, regras, preceitos, receitas etc. Não podíamos aceitar as convenções praticadas, mas era ainda impossível apresentar um novo sistema de convenções.

Convenção é hábito criado: em si mesma não é boa nem má. As convenções do teatro naturalista, por exemplo, não são boas nem más — foram e são úteis em determinados momentos e circunstâncias. O próprio Arena, durante o período que vai de 1956 a 1960, valeu-se fartamente do realismo, de suas convenções, técnicas e processos. Esse uso respondia à necessidade social e teatral de mostrar em cena a vida brasileira, especialmente nos seus aspectos aparentes. Pedindo emprestada a frase a Brecht, estávamos mais interessados em "revelar como verdadeiramente são as coisas" do que em mostrar "como são as coisas verdadeiras". Para isso, utilizávamos a fotografia e todos os seus esquemas. Da mesma forma, estávamos dispostos a utilizar o instrumental de qualquer outro estilo, desde que respondesse às necessidades estéticas e sociais de nossa organização como teatro atuante — isto é, teatro que procura influir sobre a realidade e não apenas refleti-la, ainda que corretamente.

A realidade estava e está em trânsito; os instrumentais estilísticos, perfeitos e acabados. Queríamos refletir sobre uma realidade em modificação, e tínhamos ao nosso dispor apenas estilos imodificáveis ou imodificados. Essas estruturas reclamavam sua própria destruição, a fim de que não destruíssem a possibilidade de, em teatro, surpreender o movimento. E queríamos surpreendê-lo quase no dia a dia — teatro-jornalístico.

Zumbi, primeira peça da série *Arena conta...*, descoordenou o teatro. Para nós, sua principal missão foi a de criar o necessário caos, antes de iniciarmos, com *Tiradentes*, a etapa da proposição de um novo sistema. A sadia desordem foi provocada por quatro técnicas principais que se usaram.

A primeira consistia na desvinculação ator-personagem. Certamente não foi esta a primeira vez que personagens e atores estiveram desvinculados. Para sermos mais exatos: assim nasceu o teatro. Na tragédia grega, dois e depois três atores alternavam entre si a interpretação de todos os personagens constantes do texto. Para isso, utilizavam máscaras, o que evitava a confusão da plateia. No nosso caso, tentamos também a utilização de uma máscara; não a máscara física, mas sim o conjunto de ações e reações mecanizadas dos personagens. Cada um de nós, na vida real, apresenta um comportamento mecanizado preestabelecido. Criamos vícios de pensamento, de linguagem, de profissão. Todas as nossas inter-relações se padronizam na vida cotidiana. Esses padrões são nossas "máscaras", como são também as "máscaras" dos personagens. Em *Zumbi*, independentemente dos atores que representavam cada papel, procurava-se manter, em todos, a interpretação da "máscara" permanente de cada personagem interpretado. Assim, a violência característica do Rei Zumbi era mantida, independentemente do ator que interpretava em cada cena. A "aspereza" de Don Ayres, a "juventude" de Ganga Zona, a "sensualidade" de Gongoba etc. igualmente não estavam vinculadas ao tipo físico ou características pessoais de nenhum ator. É verdade que as próprias aspas já dão uma ideia do caráter genérico de cada "máscara". Por certo, esse processo jamais serviria para interpretar uma peça baseada em escritos de Proust ou Joyce. Porém *Zumbi* era texto maniqueísta, texto de bem e mal, de certo e errado: texto de exortação e combate. E, para este gênero de teatro, este gênero de interpretação adequava-se perfeitamente.

Mas não seria necessário citar a tragédia grega, já que tantos exemplos de teatro moderno desvinculam personagem de ator. *A decisão*, de Brecht, e as *Histórias para serem contadas*, do dramaturgo argentino Osvaldo Dragún, são dois exemplos. Ao mesmo tempo se assemelham e se diferenciam de *Zumbi*. Na peça argentina, em nenhum

O Sistema Coringa — A necessidade do Coringa 185

momento se estabelece um conflito teatral; o texto tende à narração lírica: os personagens são narrados como se se tratasse de poesia, e os atores se comportam como se estivessem dramatizando um poema. Também no texto brechtiano narra-se distanciadamente o que no passado ocorreu com uma patrulha de soldados: a morte de um companheiro é mostrada diante dos juízes: o "tempo presente" é a narração do fato acontecido e não o fato acontecendo.

Já em *Zumbi* — e isto não é qualidade nem defeito — cada momento da peça era interpretado "presentemente" e "conflitualmente", ainda que a "montagem" do espetáculo não permitisse esquecer a presença do grupo narrador da história: alguns atores permaneciam no tempo e no espaço dos espectadores, enquanto outros viajavam a outros lugares e épocas.

Resultava daí uma "colcha de retalhos" formada por pequenos fragmentos de muitas peças, documentos, discursos e canções.

Exemplos de desvinculação são inumeráveis. Lembre-se, ainda, *Les Frères Jacques* e todo o movimento do *Living Newspaper* do teatro americano. Uma das peças deste movimento, $E = mc^2$, narrava a história da teoria atômica desde Demócrito, e da bomba atômica desde Hiroshima, propugnando pela utilização pacífica desse tipo de energia. As cenas são totalmente independentes uma das outras e se relacionam apenas porque se referem ao mesmo tema.

Existe, em geral, vigente, o gosto de inserir cada peça nacional no contexto da história do teatro; e, muitas vezes, esquece-se de inseri-la no próprio contexto da sociedade brasileira. Assim, embora a história do teatro seja farta de amostras anteriores, o importante, nesse novo procedimento do Arena, referia-se principalmente à necessidade de extinguirmos a influência que sobre o elenco tivera a fase realista anterior, na qual cada ator procurava exaurir as minúcias psicológicas de cada personagem, e ao qual se dedicava com exclusividade. Em *Zumbi*, cada ator foi obrigado a interpretar a totalidade da peça e não apenas um dos participantes dos conflitos expostos.

Fazendo-se com que todos os atores representassem todos os personagens, conseguia-se o segundo objetivo técnico dessa primeira experiência: todos os atores agrupavam-se em uma única perspectiva de narradores. O espetáculo deixava de ser realizado segundo o ponto de vista de cada personagem e passava, narrativamente, a ser contado por toda uma equipe, segundo critérios coletivos: "Nós somos o Teatro de Arena" e "Nós, todos, juntos, vamos contar uma história, naquilo que semelhantemente pensamos sobre ela". Conseguiu-se assim um nível de "interpretação coletiva".

A terceira técnica de criação de caos, usada com êxito em *Zumbi*, foi a do ecletismo de gênero e estilo. Dentro do mesmo espetáculo percorria-se o caminho que vai do melodrama mais simplista e telenovelesco à chanchada mais circense e vaudevilesca. Muitos julgaram perigoso o caminho escolhido e várias advertências foram feitas sobre os limites por onde caminhava o Arena; tentou-se mesmo uma enérgica demarcação de fronteiras entre a "dignidade da arte" e o "fazer rir a qualquer preço". Curioso que as advertências foram sempre dirigidas à chanchada e nunca ao melodrama que, no extremo oposto, corria os mesmos riscos. Talvez isso se deva ao fato de que a nossa plateia e a nossa crítica já se habituaram ao melodrama e as oportunidades de riso andem muito escassas nos dias que correm...

Também em estilo, e não apenas em gêneros, instaurou-se o salutar caos estético. Algumas cenas, como a do *Banzo*, tendiam ao expressionismo, enquanto outras, como a do Padre e da Senhora Dona, eram realistas, a da Ave-Maria, simbolista, a do *twist* beirava o surrealismo etc.

Em teatro, qualquer quebra desentorpece. As regras tradicionais do *playwriting* americano receitam o *comic relief* como forma de estímulo. Aqui, obtinha-se uma espécie de *stylistic relief* e a plateia recebia satisfeita as mudanças bruscas e violentas.

Ainda uma quarta técnica foi usada. A música tem o poder de, independentemente de conceitos, preparar a plateia a curto prazo, ludicamente, para receber textos simplificados que só poderão ser absorvidos dentro da experiência simultânea razão-música. Um exemplo esclarece: sem música, ninguém acreditaria que às margens plácidas do Ipiranga ouviu-se um grito heroico e retumbante[4] ou que, qual cisne

---

[4] Hino Nacional.

branco em noite de lua, algo desliza no mar azul.[5] Da mesma maneira, e pela forma simples com que a ideia está exposta, ninguém acreditaria que este "é um tempo de guerra" se não fosse a melodia de Edu Lobo.

Finalmente, usando essas quatro técnicas, tinha *Zumbi* a missão estética principal de sintetizar as duas fases anteriores do desenvolvimento artístico do Teatro de Arena.

Durante todo o período realista, tanto a dramaturgia como a interpretação do Arena buscavam sobretudo o detalhe. Como diz o Coringa em *Tiradentes*: "Peças em que se comia macarrão e se fazia café e a plateia aprendia exatamente isso: fazer café e comer macarrão — coisas que já sabia". Foi todo um período em que a preocupação máxima consistia na busca de singularidades, na descrição mais minuciosa e veraz da vida brasileira, em todos os seus aspectos exteriores, visíveis e acidentais. A reprodução exata da vida como ela é — esta a principal meta de toda uma fase. Esse caminho, embora necessário no seu momento, apresentava grande perigo e risco de tornar a obra de arte inútil. Arte é uma forma de conhecimento, portanto o artista se obriga a interpretar a realidade, tornando-a inteligível. Porém, se ao invés de fazê-lo, apenas a reproduz, não estará conhecendo nem dando a conhecer. E quanto mais "iguais" forem a realidade e a obra, tão mais desnecessária será esta. O critério de semelhança é a medida de ineficácia. Certamente, os autores representados nessa época não se limitavam às constatações. Porém a utilização do instrumental naturalista reduzia a possibilidade de análise. Os textos se tornavam ambíguos ou bivalentes; quem é o herói: o pequeno-burguês Tião ou o proletário Otávio? Qual é a solução de José da Silva: deixar como está pra ver como é que fica, morrer de fome ou fazer guerrilha?[6] Na fase posterior, quando se procurava "nacionalizar os clássicos", contrapuseram-se as metas: passamos a tratar apenas com ideias, vagamente corporificadas em fábulas, *Tartufo, O melhor juiz, o rei* etc. Pouco nos importava reproduzir a vida na época de Luís XIV ou na Idade Média.

---

[5] Hino da Marinha.

[6] Personagens de *Eles não usam black-tie* e *Revolução na América do Sul*.

Don Tello e Tartufo não eram seres humanos radicados no seu momento, mas lobos de La Fontaine que bem se assemelhavam à gente paulista e brasileira; Dorina e Pelayo eram cordeirinhos com alma de raposas. Todo o elenco de personagens se constituía de símbolos tornados significativos pelas feições semelhantes à gente nossa. Eram "universais" flutuando sobre o Brasil.

Havia que sintetizar: de um lado o singular, de outro o universal. Tínhamos que encontrar o *particular típico*.

O problema foi em parte resolvido utilizando-se um episódio da história do Brasil, o mito de Zumbi, e procurando-se recheá-lo com dados e fatos recentes, bem conhecidos pela plateia. Exemplo: o discurso de Don Ayres, ao tomar posse, foi escrito quase que totalmente tomando-se por base recortes de jornais de discursos pronunciados na época da encenação.

A verdadeira síntese, é certo, não se lograva: conseguia-se apenas — e isto já era bastante — justapor "universais" e "singulares", amalgamando-os: de um lado a história mítica com toda a sua estrutura de fábula, intacta; de outro, jornalismo com o aproveitamento dos mais recentes fatos da vida nacional. A junção dos dois níveis era quase simultânea, o que aproximava o texto dos particulares típicos.

Zumbi preencheu sua função e representou o fim de uma etapa de investigação. Concluiu-se a "destruição" do teatro e propôs-se o início de novas formas.

Coringa é o sistema que se pretende propor como forma permanente de se fazer teatro — dramaturgia e encenação. Reúne em si todas as pesquisas anteriores feitas pelo Arena e, nesse sentido, é súmula do já acontecido. E, ao reuni-las, também as coordena, e nesse sentido é o principal salto de todas as suas etapas.

III. As metas do Coringa

Um sistema não se propõe porque sim. Vem sempre em resposta a estímulos e necessidades estéticas e sociais. Já foi exaustivamente estudada a estrutura dos textos isabelinos como decorrência das condições sociais de sua época, de sua plateia, e até mesmo das características especiais do seu teatro como edifício. Em geral, todas as peças de Shakespeare se iniciam com cenas de violência: criados em luta corporal (*Romeu e Julieta*), movimento reivindicatório de massas (*Coriolano*), aparição de um fantasma (*Hamlet*), de três bruxas (*Macbeth*), de um monstro (*Ricardo III*) etc. Não era por coincidência que o dramaturgo elegia iniciar suas obras assim de maneira violenta. Sobre o comportamento barulhento de sua plateia narram-se muitos detalhes, alguns bem curiosos. Por exemplo, a linguagem romântica das laranjas: durante o espetáculo um senhor, desejoso de cortejar uma jovem da plateia, comprava uma dúzia de laranjas, aos gritos, não importando fosse a cena, no momento, um terno solilóquio. Pelo vendedor, enviava as frutas à desejada. Dependendo do comportamento desta, ele entendia tudo. Se a dama devolvesse o pacote, convinha não insistir; se devolvesse metade, quem sabe? Se as guardasse, as esperanças eram muitas. E, Deus seja louvado, se as comesse ali mesmo, durante o "Ser ou não ser", não havia dúvida: o jovem casal não assistiria ao final da tragédia, preferindo inventar sua própria comédia bucólica alhures.

Imagine-se que essas não eram condições ideais para o desenvolvimento da dramaturgia maeterlinckiana. Laurence Olivier, no seu filme *Henrique V*, deu uma imagem precisa da plateia isabelina: gritos, insultos, brigas, ameaças diretas aos atores, circulação ininterrupta de espectadores, nobres no palco etc. Para silenciar essa plateia seria necessária uma introdução vigorosa e decidida. Os atores deveriam fazer mais ruído no palco do que os espectadores na plateia. Assim se ia formando a técnica de *playwriting* shakespeariana.

Também as condições de desenvolvimento da ciência propõem a possibilidade de novos estilos: sem a eletricidade, seria impossível o expressionismo.

Mas não só os aspectos exteriores determinam a forma teatral. Sem seus 60 mil sócios proletários, não seria possível o Volksbühne, berço do teatro épico moderno, como sem a plateia nova-iorquina não seriam possíveis as aberrações sexuais, castrações e antropofagias de Tennessee Williams. Seria absurdo oferecer *A mãe* de Brecht à Broadway, ou *A noite do iguana* aos sindicatos berlinenses. Cada plateia exige peças que assumam sua visão do mundo.

Nos países subdesenvolvidos, no entanto, costuma-se eleger o teatro dos "grandes centros" como padrão e meta. Recusa-se a plateia de que se dispõe, almejando a distante. O artista não se permite receber influências de quem o assiste e sonha com os espectadores chamados "educados" ou "de cultura". Procura absorver tradições alheias sem fundamentar a própria; receber a cultura estranha como palavra de ordem divina, sem dizer sua palavra.

No momento, o teatro brasileiro atravessa sua maior crise, a única que chegou simultaneamente em todos os níveis de suas preocupações: crise econômica, de plateia, de caminhos, de ideologia, de repertório, de material humano. E a crise, de saudável, traz apenas a necessidade urgente de reformulações, que também se pretendem em níveis diversos. A tímida introdução do sistema de cooperativa pretende resolver o problema de folha de pagamento em termos argentinos. A montagem de peças de dois ou três personagens, pretende resolvê-lo em termos de caixa de música. A paralisação de muitas companhias em termos de "assim não é possível". Também em relação ao repertório, muitas esperanças são acalentadas: a pornografia talvez solucione o problema de outras companhias além da de Dercy Gonçalves; a formação de elencos com astros de TV talvez atraia fã-clubes; a montagem de textos internacionais, vindos quentinhos de Paris ou Londres, talvez seduza gente *up-to-date*. Outros grupos, percebendo que atualmente a montagem de qualquer texto representa risco total de tudo ganhar ou perder, ousam espetáculos que sempre quiseram fazer: estão anunciados Peter Weiss, Brecht, e outros autores da mesma importância.

O Teatro de Arena também se encontra diante das mesmas indagações coletivas do teatro paulista. E suas respostas futuras deverão refletir as experiências que vêm realizando. O Sistema Coringa também não nasceu porque sim, mas foi determinado pelas características atuais da nossa sociedade e, mais especificamente, da nossa plateia.

Suas metas são de caráter estético e econômico.

O primeiro problema a ser resolvido consiste em apresentar, dentro do próprio espetáculo, a peça e sua análise. Evidentemente, qualquer peça já inclui, em cada encenação, critérios analíticos próprios. Todos os espetáculos de *Don Juan*, por exemplo, são diferentes entre si, ainda que se baseiem todos no mesmo texto de Molière. *Coriolano* pode ser montada como peça fascista ou como condenação ao fascismo. O herói de Júlio César pode ser Marco Antônio ou Brutus. Pode o diretor moderno optar pelas razões de Antígona ou de Creonte, ou pela condenação de ambos. Pode a tragédia de Édipo ser a Moira ou seu orgulho.

A necessidade de analisar o texto e revelar essa análise à plateia; de enfocar a ação segundo uma determinada e preestabelecida perspectiva e só dessa; de mostrar o ponto de vista do autor ou o dos recriadores — essa necessidade sempre existiu e sempre foi respondida diversamente.

O monólogo, em geral, serve para oferecer à plateia um prisma através do qual se possa entender a totalidade dos conflitos do texto. O coro da tragédia grega, que tantas vezes atua como moderador, analisa também o comportamento dos protagonistas. O *raisonneur* das peças de Ibsen quase nunca tem uma função especificamente dramática, revelando-se a cada instante porta-voz do autor. O recurso do narrador é também frequentemente usado, como o foi por Arthur Miller em *Panorama visto da ponte* e, pelo mesmo autor, de forma modicada, em *Depois da queda*, o protagonista dirige-se explicativamente a alguém, que tanto pode ser o psicanalista como pode ser Deus — a Miller pouco importa e muito menos a nós.

Essas são algumas das muitas soluções possíveis e já oferecidas. No sistema do Coringa, o mesmo problema se oferece e uma solução parecida se propõe. Em todos esses mecanismos citados, o que mais nos desagrada é a camuflagem que a sua verdadeira intenção termina por assumir. O funcionamento da técnica é escondido, envergonhadamente. Preferimos o despudor de mostrá-lo como é e para que serve. A camuflagem acaba criando um "tipo" de personagem, muito mais próximo dos demais personagens do que da plateia: coros, narradores etc. são habitantes da fábula e não da vida social dos espectadores. Propomos o Coringa contemporâneo e vizinho do espectador. Para isso, é necessário o esfriamento de suas "explicações"; é necessário o seu afastamento dos demais personagens, é necessária a sua aproximação aos espectadores.

Dentro do sistema, as "explicações" que ocorrem periodicamente procuram fazer com que o espetáculo se desenvolva em dois níveis diferentes e complementares: o da fábula (que pode utilizar todos os recursos ilusionísticos convencionais do teatro) e o da conferência, na qual o Coringa se propõe como exegeta.

A segunda meta estética refere-se ao estilo. Certamente muitas peças bem logradas utilizam dois ou mais estilos, como é o caso de *Lilion*, de Ferenc Molnár, e *A máquina de somar*, de Elmer Rice (realismo e expressionismo, para as cenas de Terra e Céu). Porém sempre também os autores se dão a enormes trabalhos para "justificar" as mudanças estilísticas. Admite-se o expressionismo desde que a cena se passe no Céu: ora, isso se constitui num disfarce do realismo que permanece.

Mesmo em cinema, o célebre *O gabinete do Dr. Caligari* nada mais é do que um filme realista disfarçado — no fim, pede-se desculpas pelo instrumental estilístico usado, justificando-se pelo fato de que se tratava de uma visão do mundo segundo a ótica de um louco.

O próprio espetáculo de *Zumbi*, com todas as liberdades que assumia, apresentava-se unificado por uma atmosfera geral de fantasia e com os mesmos instrumentos de fantasia trabalhava-se indistintamente todas as cenas: a variedade de estilo era dada pela diferente maneira de utilizar o instrumental, e a unidade por se trabalhar sempre com os mesmos instrumentos — absorção pelo corpo do ator das funções cenográficas, ética de branco e preto, mau e bom, amor e ódio, tom ora nostálgico ora exortativo, dialética tanque Panzer × Ave-Maria etc.

No Coringa pretende-se propor um *sistema permanente* de fazer teatro (estrutura de texto e estrutura de elenco) que inclua em seu bojo todos os instrumentais de todos os estilos ou gêneros. Cada cena deve ser resolvida, esteticamente, segundo os problemas que ela, isoladamente, apresenta.

Toda unidade de estilo traz o empobrecimento inevitável dos processos possíveis de serem utilizados. Habitualmente, selecionam-se os instrumentos de um só estilo, daquele que se revela ideal para o tratamento das principais cenas da peça; em seguida, os mesmos instrumentos são aplicados à solução de todas as cenas, mesmo quando se mostrem absolutamente inadequados. Por isso, decidimos resolver cada cena independentemente das demais. Assim, o realismo, surrealismo, pastoral bucólica, tragicomédia, ou qualquer outro gênero ou estilo estão permanentemente à disposição de autor e diretor, sem que estes, por isso, se obriguem a utilizá-los durante toda a peça ou espetáculo.

O perigo que esse procedimento acarreta é razoavelmente grande: pode-se perfeitamente cair na total anarquia. A fim de evitá-lo, dá-se total ênfase às "explicações", de forma que o estilo em que são elaboradas se constitua no estilo geral da obra, e ao qual todos os demais devem ser referidos. Pretende-se escrever obras que sejam fundamentalmente julgamentos. E, como num tribunal, os fragmentos de cada intervenção podem ter a sua própria forma, sem prejuízo da forma especial de julgamento, também assim no Coringa cada capítulo ou cada episódio pode ser tratado da maneira que melhor lhe convier, sem prejuízo da unidade que será dada, não pela permanência limitadora de uma forma, mas pela pletora estilística referida à mesma perspectiva.

Deve-se ainda observar que a possibilidade de extrema variação formal é oferecida pela simples presença, dentro do sistema, de duas funções extremamente opostas: a função *protagônica*, que é a realidade mais concreta, e a função *coringa*, que é a abstração mais conceitual. Entre o naturalismo fotográfico de um, singular, e a abstração universalizante do outro, todos os estilos estão incluídos e são possíveis.

O teatro moderno tem enfatizado em demasia a originalidade. As duas guerras deste século, a guerra permanente de libertação de colônias, a ascensão das classes subjugadas, o avanço da tecnologia, desafiam os artistas, que respondem com uma chuva de inovações, especialmente formais: a rapidez com que evolui o mundo significa também uma impressionante rapidez com que evolui o teatro. Uma liderança, porém, faz-se entrave: cada nova conquista da ciência fundamenta a conquista seguinte, nada se perdendo e tudo se conquistando. Ao contrário, cada nova conquista do teatro tem significado o arrasamento do já conquistado.

Portanto, o principal tema da técnica teatral moderna ficou sendo a coordenação de suas conquistas, de forma que cada novo produto venha enriquecer o patrimônio existente, e não substituí-lo. E isso deve ser feito dentro de uma estrutura que seja inteiramente flexível e absorvente de qualquer descoberta e, ao mesmo tempo, imutável e sempre idêntica a si mesma.

A criação de novas regras e convenções em teatro, dentro de um sistema que permaneça imodificado, permite aos espectadores conhecerem as possibilidades de jogo de cada espetáculo. O futebol tem regras pré-conhecidas, uma estrutura rígida dos *offsides* e pênaltis, o que não impede a improvisação e a surpresa de cada jogada. Perderia todo o interesse o futebol no momento em que cada jogo fosse disputado em obediência a leis legisladas apenas para esse jogo; se os torcedores tivessem que descobrir, durante a partida, quais as leis que regulam o andamento das jogadas. O pré-conhecimento é indispensável à total fruição.

No Coringa, uma mesma estrutura será usada para *Tiradentes* e *Romeu e Julieta*. Porém, dentro dessa estrutura imutável ou pouco modificável, nada deverá impedir a originalidade de cada "jogada" ou cada "cena", "capítulo", "episódio" ou "explicação".

Não só o esporte oferece exemplos: o espectador de um quadro, ao examinar a parte, pode inseri-la na totalidade que também se mostra visível. O detalhe de um mural é visto, simultaneamente, isolado e inserido no todo. Em teatro, esse efeito só poderá ser conseguido se a plateia conhecer de antemão as regras do jogo.

Finalmente, um dos propósitos estéticos não menos importante do sistema consiste em tentar resolver a opção entre personagem-sujeito e personagem-objeto, que, esquematicamente, deriva da consideração de que o pensamento determina a ação ou, ao contrário, a ação determina o pensamento.

A primeira posição é exaustivamente defendida por Hegel em sua poética, e muito antes por Aristóteles.

Afirmam os dois, com palavras pouco diferentes, que a "ação dramática resulta do livre movimento do espírito do personagem". Hegel vai ainda mais longe e, como se estivesse premonitoriamente pensando no Brasil atual, afirma que a sociedade moderna vai-se tornando incompatível com o teatro já que os personagens de hoje se aprisionam num emaranhado de leis, costumes e tradições que vão aumentando e se vão tornando mais complexos na medida em que se desenvolve e civiliza a sociedade. Assim, o herói dramático perfeito seria o "príncipe medieval" — isto é, um homem que em si enfeixasse todos os poderes: legislativo, judiciário e executivo —, o que não deixa de ser uma das mais caras aspirações de alguns políticos atuais, medievos de coração. Só tendo em suas mãos o poder absoluto poderá o personagem "livremente exteriorizar os movimentos do seu espírito"; se esses movimentos o levam a matar, possuir, agredir, absolver etc. — nada estranho a ele poderá impedi-lo de fazê-lo. As ações concretas têm origem na subjetividade do personagem.

Brecht — o teórico e não necessariamente o dramaturgo — defende a posição oposta: o personagem é o reflexo da ação dramática e esta se desenvolve por meio de contradições objetivas, ou objetivas-subjetivas, isto é, um dos polos é sempre a infraestrutura econômica da sociedade, ainda que seja o outro um valor moral.

No Coringa, a estrutura dos conflitos é sempre infraestrutural, ainda que se movam os personagens ignorantemente em relação a este desenvolvimento subterrâneo, isto é, ainda que sejam hegelianamente livres.

Procura-se assim restaurar a liberdade plena do personagem-sujeito, dentro dos esquemas rígidos da análise social. A coordenação dessa liberdade impede o caos subjetivista conducente aos estilos líricos: expressionismo etc. Impede a apresentação do mundo como perplexidade, como destino inelutável. E deve impedir, esperamos, intepretações mecanicistas que reduzam a experiência humana à mera ilustração de compêndios.

Muitas são as metas deste sistema. Nem todas são estéticas ou tiveram na estética a origem de sua proposição. A violenta limitação do poder aquisitivo da população determinou a rarefação do mercado consumidor de produtos supérfluos: o teatro entre eles.

Não se pode ficar esperando que ocorram modificações fundamentais na política econômica, de forma que se devolva ao povo a possibilidade de compra. Deve-se enfrentar cada situação no âmbito da própria situação, e não segundo perspectivas otimistas. E estes são os dados: falta mercado consumidor de teatro, falta material humano, falta apoio social a qualquer campanha de popularização e sobram restrições oficiais (impostos e regulamentos).

Nesse panorama hostil, a montagem obediente ao sistema do Coringa torna-se capaz de apresentar qualquer texto com número fixo de atores, independentemente do número de personagens, já que cada ator de cada coro multiplica suas possibilidades de interpretação. Reduzindo-se o ônus de cada montagem, todos os textos são viáveis.

Essas são as metas do sistema. Para tentar consegui-las, há que criar e desenvolver duas estruturas fundamentais: a de elenco e a de espetáculo.

IV. As estruturas do Coringa

Em *Zumbi*, todos os atores representavam todos os personagens: a distribuição de papéis era feita em cada cena e sem nenhuma constância; procurava-se mesmo evitar qualquer periodicidade na distribuição dos mesmos papéis aos mesmos atores. Mal comparando, parecia uma equipe de futebol de várzea: todos os jogadores, independentemente de suas posições, estão sempre onde está a bola. Em *Tiradentes*, e dentro do sistema do Coringa, cada ator tem a sua posição pré-determinada, e move-se dentro das regras estabelecidas para essa posição. Também aqui não se distribuem personagens aos atores, mas sim funções de acordo com a estruturação geral dos conflitos do texto.

A primeira função é a "protagônica" que, no sistema, representa a realidade concreta e fotográfica. Essa é a única função na qual se dá a vinculação perfeita e permanente ator-personagem: um só ator desempenha só o protagonista e nenhum outro.

Várias são as características necessárias a essa função, na qual deve o ator valer-se da interpretação stanislavskiana, na sua forma mais ortodoxa. O ator não pode desempenhar nenhuma tarefa que exceda os limites do personagem enquanto ser humano real: para comer, necessita comida; para beber, bebida; para lutar, uma espada. Seu comportamento em cena deve se assemelhar ao de um personagem de *Eles não usam black-tie* ou de *Chapetuba F.C.* O espaço em que se move deve ser pensado em termos de Antoine. O ator "protagônico" deve ter a consciência do personagem, e não a dos atores. Sua vivência não se interrompe nunca, ainda que simultaneamente possa estar o Coringa analisando qualquer detalhe da peça: ele continuará sua ação "verdadeiramente" como personagem de outra peça perdido em cenário teatralista. É a "falta de vida", o neorrealismo, o cine-verdade, o documentário ao vivo, a minúcia, o detalhe, a verdade aparente, a coisa verdadeira.

Não só o comportamento do ator deve obedecer critérios da verossimilhança, mas também sua concepção cenográfica: sua roupa, seus adereços, devem ser — perdoando o termo — os mais "autênticos" possíveis. Ao vê-lo, deve a plateia ter sempre a impressão de quarta parede ausente, ainda que estejam ausentes também as outras três.

Essa função procura reconquistar a empatia que se perde todas as vezes em que o espetáculo tende a um alto grau de abstração. Nesses casos, a plateia perde o contato emocional imediato com o personagem e sua experiência tende a reduzir-se ao conhecimento puramente racional.

Não importa nem é o momento de descobrir quais as principais razões desse fato: basta por ora constatá-lo. E constata-se que a empatia se produz com grande facilidade no momento em que qualquer personagem, em qualquer peça, com qualquer enredo ou tema, realiza uma tarefa facilmente reconhecível, de caráter doméstico, profissional, esportivo ou qualquer outro.

A empatia não é um valor estético: é apenas um dos mecanismos do ritual dramático, ao qual se pode dar bom ou mau uso. Na fase realista do Arena, nem sempre esse uso foi louvável e, muitas vezes, o reconhecimento de situações verdadeiras e cotidianas substituía o caráter interpretativo que deve ter o teatro. No Coringa, essa empatia exterior será trabalhada lado a lado com a exegese. Tenta-se e permite-se o reconhecimento exterior, desde que se apresentem simultaneamente análises dessa exterioridade.

A escolha do protagonista não coincide necessariamente com o personagem principal. Em *Macbeth* pode ser Macduff; em *Coriolano* pode ser um homem do povo; em *Romeu e Julieta* poderia ser Mercutio, não fosse sua morte prematura; em *Rei Lear* pode ser o Bobo. Desempenha a função "protagônica" o personagem que o autor deseja vincular empaticamente à plateia. Se *éthos* e *dianoia* pudessem ser separados — e só o podem para fins didáticos —, diríamos que o protagonista atribui-se um comportamento "ético", e o Coringa, "dianoético".

A segunda função do sistema é o próprio Coringa. Poderíamos defini-la como sendo exatamente o contrário do protagonista.

Sua realidade é mágica: ele a cria. Sendo necessário, inventa muros mágicos, combates, banquetes, soldados, exércitos. Todos os demais personagens aceitam a realidade mágica criada e descrita pelo Coringa. Para lutar, usa arma inventada; para cavalgar, inventa o cavalo; para matar-se, crê no punhal que não existe. O Coringa é polivalente: é a única função que pode desempenhar qualquer papel da peça, podendo inclusive substituir o protagonista nos impedimentos deste, determinados por sua realidade naturalista. Exemplo: inicia-se o segundo ato de *Tiradentes* com este cavalgando em cena fantástica: como não será prudente trazer o cavalo para o cenário, essa cena será desempenhada pelo ator que fizer o Coringa, montado em potro de pano, economizando-se o desnecessário farelo.

Todas as vezes em que casos como esse ocorrerem, os dois corifeus desempenharão momentaneamente a função Coringa.

A consciência do ator-coringa deve ser a de autor ou adaptador que se supõe acima e além, no espaço e no tempo, da dos personagens. Assim, no caso de *Tiradentes* não terá ele a consciência e o conhecimento possível aos inconfidentes do século XVIII, mas, ao contrário, terá sempre presente os fatos que desde então se passaram. Isso deverá ocorrer ao nível da história e ao nível da própria fábula — já que nesse aspecto ele representa também o autor ou o recriador da fábula, conhecedor de princípios, meios e fins. Conhece portanto o desenvolvimento da trama e a finalidade da obra. É onisciente. Porém, quando o ator-coringa desempenha não apenas essa função em geral, mas em particular um dos personagens, adquire tão somente a consciência de cada personagem que interpreta.

Assim, todas as possibilidades teatrais são conferidas à função Coringa: é mágico, onisciente, polimorfo, ubíquo. Em cena, funciona como *meneur du jeu*, *raisonneur*, mestre de cerimônias, dono do circo, conferencista, juiz, explicador, exegeta, contrarregra, diretor de cena, *regisseur*, *kurogo* etc. Todas as "explicações" constantes da estrutura do espetáculo são feitas por ele, que, quando necessário, pode ser ajudado pelos corifeus ou pela orquestra coral.

Todos os demais atores estão divididos em dois coros: deuterago-

O Sistema Coringa — As estruturas do Coringa
199

nista e antagonista, tendo cada um seu corifeu. Os atores do primeiro coro podem desempenhar qualquer papel de apoio ao protagonista: isto é, papéis que representem a mesma ideia central deste. Assim, no caso de Hamlet, por exemplo: Horácio, Marcelo, os comediantes, o Fantasma etc. É o Coro-Mocinho. O outro, o Coro-Bandido, é integrado por todos os atores que representem papéis de desapoio. No mesmo exemplo: o rei Cláudio, a rainha Gertrudes, Laertes, Polônio etc.

Os coros não possuem número fixo de atores, podendo variar entre um episódio e outro. Existirão dois tipos de figurino: um, básico, relativo à função e ao coro a que pertence. Outro, referente não a cada personagem, mas, sim, aos diferentes papéis sociais desempenhados no texto e em conflito na trama. Poderá haver apenas um figurino para cada papel social: Exército, Igreja, Proletariado, Aristocracia, Poder Judiciário etc. Pode acontecer que coexistam no palco dois ou mais atores que desempenhem o mesmo papel: soldado, por exemplo. Nesse caso, deve o figurino ser de tal forma que possa ser usado por igual número de atores, simultaneamente, e que permita à plateia, visualmente, identificar todos os atores que desempenham o mesmo papel. Ou tantos figurinos como personagens.

Atores e atrizes poderão representar indiferentemente personagens masculinos ou femininos, menos, é claro, nas cenas em que o sexo determina a própria ação dramática. Cenas de amor, por exemplo, deverão ser desempenhadas por atores do sexo oposto — a menos que, inesperadamente, resolva-se o Arena a contar Tennessee Williams, coisa que não ocorrerá.

Completando esta estrutura, está a orquestra coral: violão, flauta e bateria. Os três músicos deverão também tocar outros instrumentos de corda, sopro e percussão. Além de apoio musical, deve a orquestra cantar, isoladamente ou em conjunto com o corifeu, todos os "comentários" de caráter informativo ou ilusionístico.

Esta é a estrutura básica do sistema que deverá ser flexível o bastante para adaptar-se à montagem de qualquer peça. Por exemplo, em caso de necessitar o texto a presença de três blocos em conflito, pode-se criar o coro tritagonista, mantendo-se o esquema intacto em tudo o mais. No caso de uma peça como *Romeu e Julieta*, pode-se aumentar o número de protagonistas para dois, mantendo-se um só Coringa, ou

Poética do Oprimido

atribuindo-se suas funções aos corifeus que, por sua vez, representariam os chefes das casas de Montecchio e Capuleto. No caso de peças que não apresentem interesse especial em mostrar nenhum protagonista, pode-se abolir essa função e criar dois Coringas que poderão também absorver as funções dos corifeus. Finalmente, no caso em que uma das forças em conflito necessita apenas de um ou dois atores durante a maior parte do desenvolvimento da ação, pode-se, mantendo-se os corifeus, agrupar todos os demais atores num único coro do Coringa.

A adaptação de cada texto em particular determinará as modificações necessárias, mantida a estrutura e a proposta fundamental.

Além dessa "estrutura de elenco", o Coringa terá também, em caráter permanente, uma única "estrutura de espetáculo" para todas as peças. Este divide-se em sete partes principais: Dedicatória, Explicação, Episódio, Cena, Comentário, Entrevista e Exortação.

Todo espetáculo será sempre iniciado com uma *dedicatória* a alguém ou a alguma coisa. Poderá ser uma canção coletiva, uma cena, ou simplesmente um texto declamado. Poderá ainda ser uma sequência de cenas, poemas, textos etc. Em *Tiradentes*, por exemplo, a *dedicatória* se constitui de uma canção, um texto, uma cena e novamente uma canção coletiva, dedicando-se o espetáculo a José Joaquim de Maya, o primeiro homem a tomar medidas concretas pela libertação do Brasil.

Uma *explicação* é uma quebra na continuidade da ação dramática, escrita sempre em prosa e dita pelo Coringa, em termos de conferência, e que procura colocar a ação segundo a perspectiva de quem a conta — no caso, o Arena e seus integrantes. Pode conter qualquer recurso próprio da conferência: slides, leitura de poemas, documentos, cartas, notícias de jornais, exibição de filmes, de mapas etc. Pode inclusive refazer cenas a fim de enfatizá-las ou corrigi-las, incluindo outras que não constem do texto original, no caso de adaptações e a fim de maior clareza. Por exemplo: contando o irresoluto Hamlet pode-se apresentar uma cena do decidido Ricardo III. As *explicações* dão o estilo geral do espetáculo: conferência, fórum, debate, tribunal, exegese, análise, defesa de tese, plataforma etc. A *explicação* introdutória apresenta o elenco, a autoria, a adaptação, as técnicas utilizadas, a neces-

O Sistema Coringa — As estruturas do Coringa

sidade de renovar o teatro, propósitos do texto etc. Como se vê, todas as *explicações* podem e devem ser extremamente dinâmicas, modificando-se na medida em que são apresentadas em cidades ou datas diferentes. Assim, quando a peça for apresentada em cidade onde nunca se fez teatro, será mais oportuno explicar o teatro em geral do que o Coringa em particular. Se algum fato importante ocorrer no dia da apresentação e se estiver relacionado com o tema da peça, essa relação deverá ser analisada. Cremos ficar bem marcado o caráter transitório e efêmero desse sistema permanente: objetiva-se aumentar a velocidade de refletir o espetáculo o seu momento, dia e hora, sem reduzir-se à hora, ao dia e ao momento.

A estrutura geral será dividida em episódios que reunirão cenas mais ou menos interdependentes. O primeiro tempo conterá sempre um episódio a mais do que o segundo: 2 e 1, 3 e 2, 4 e 3 etc.

Uma *cena* ou *lance* é um todo completo de pequena magnitude, contendo ao menos uma variação no desenvolvimento qualitativo da ação dramática. Pode ser dialogado, cantado, ou resumir-se à leitura de um poema, discurso, notícia ou documento, que determine mudança de qualidade no sistema de forças conflituais.

As *cenas* se ligam entre si pelos *comentários*, escritos preferentemente em versos rimados, cantados pelos corifeus ou pela orquestra ou por ambos, servindo para ligar uma cena a outra, ilusionisticamente. Pode-se constituir também pela simples enunciação do local e tempo onde se passa a ação. Considerando que cada cena tem seu estilo próprio, quando necessário, os *comentários* deverão advertir a plateia sobre cada mudança.

As *entrevistas* não têm colocação estrutural própria e predeterminada, já que sua ocorrência depende sempre de ocasionais necessidades expositivas. Muitas vezes o dramaturgo sente-se obrigado a revelar à plateia o verdadeiro estado anímico de um personagem e não obstante não pode fazê-lo na presença dos demais personagens. Por exemplo, os atos de Hamlet só serão bem entendidos se o seu desejo de morte for exposto; porém, não poderá fazê-lo diante do rei, da rainha, nem mesmo de Horácio ou Ofélia. Shakespeare recorre então ao monólogo, como o expediente mais prático e rápido de informação direta. Pode acontecer também que essa necessidade informativa esteja presente e perdure durante toda a ação. O'Neill resolveu o problema forçando seus personagens de *Estranho interlúdio* a dizerem o texto falado e o texto pensado durante toda a peça, em tons diferentes, ajudados pela iluminação e outros recursos teatrais. Em *Dias sem fim* chegou à exigência de dois atores para o desempenho do protagonista John Loving: um interpretava John, a parte que se mostrava, e outro, Loving, a intimidade subjetiva. Também o aparte tem sido largamente usado através da história do teatro. O fato de estar hoje essa técnica fora de uso deve-se, talvez, a que o aparte cria uma estrutura paralela de caráter intermitente, que mais interfere na ação do que a explica.

No Coringa, essa necessidade será resolvida utilizando-se recursos de outros rituais que não o teatral. Durante as disputas esportivas, futebol, boxe etc., nos intervalos entre um tempo e outro, ou durante as paralisações temporárias e acidentais das partidas, os cronistas entrevistam atletas e técnicos que diretamente informam a plateia sobre o sucedido em campo.

Assim, todas as vezes que for necessário mostrar o "lado de dentro" do personagem, o Coringa paralisará a ação, momentaneamente, a fim de que ele declare suas razões. Nesses casos, o personagem entrevistado deverá manter a consciência de personagem, não devendo o ator assumir sua própria consciência de hoje e aqui. Em *Tiradentes*, toda a jogada política do Visconde de Barbacena, com relação ao lançamento da Derrama, seria fatalmente atribuída ao seu "bom coração" e não à frieza do seu pensamento, se este fosse revelado intimamente aos espectadores.

Finalmente, a última "porção" da estrutura do espetáculo consiste na *exortação* final, em que o Coringa estimula a plateia segundo o tema tratado em cada peça. Pode ser em forma de prosa declamada ou em canção coletiva, ou uma combinação de ambas.

Essas as duas estruturas básicas do sistema. E o que já ficou dito, aqui se reitera: o sistema é permanente apenas dentro da transitoriedade das técnicas teatrais. Com ele não se pretendem soluções definitivas de problemas estáticos: pretende-se apenas tornar o teatro outra vez exequível em nosso país. E pretende-se continuar a pensá-lo útil.

V. *Tiradentes*: questões preliminares

Uma peça deve ser analisada segundo os critérios que propõe, e não segundo uma teoria geral do teatro. Sempre que se discute um texto, é comum prover-se o discutidor de todas suas teses pessoais sobre o teatro em geral e nelas enquadrar uma peça em particular, ainda que os critérios que presidiram a elaboração desta tenham sido diametralmente opostos. Não se pode entender Ionesco munido do instrumental estético de Racine, nem este com o de Bertolt Brecht.

Porém, se critérios "universais" não são estabelecidos, sobrevém o caos de valores: um texto medíocre será perfeito, se perfeitamente responder aos medíocres critérios de sua elaboração. É muito frequente ouvir-se autores que, diante de restrições possíveis, exclamam: "Mas foi exatamente isso que eu quis fazer". Ora, pode suceder que não se reconheça validade exatamente a "isso". A mediocridade da obra acabada não justifica nem se justifica por propostas medíocres.

Portanto, há que inserir os critérios particulares de cada texto dentro dos critérios mais gerais, que não necessitam ser apenas artísticos.

Seria pois necessário, antes da análise de cada peça, analisar os instrumentos de sua fabricação. Estes, porém, não podem ser recusados em função de preferências por nenhuma escola, gênero, estilo, tendência ou época. Nem podem, só por isso, ser aceitos. A validade de uma peça deve considerar-se sobretudo em função do público ao qual se destina, sem que se permita tomar abstratamente a palavra "público". Na relação peça-público deve-se considerar este como parte da população, essa como povo, este como nação, e essa no mundo de hoje. Há que se considerar o texto como fenômeno social presente — portanto, liberto da historiografia teatral — idêntico ou semelhante a outros fenômenos sociais de natureza não estética: comícios políticos, assembleias, partidas de futebol, lutas de boxe. Um texto não será válido senão na medida da sua eficácia teatral e do seu acerto social, e este não será outro que a humanização do homem, e esta não será nunca uma atitude puramente contemplativa, mas um fato concreto de condições e direções de vida no sentido de uma sociedade que se desaliene progressivamente e aos saltos. Os meios empregados não importam, só importam os objetivos que se desejam.

O principal objetivo de *Arena conta Tiradentes* é a análise de um movimento libertário que, teoricamente, poderia ter sido bem-sucedido. Estava inserido no movimento inevitável do avanço social — usando uma expressão corrente, "estava ao lado da história"... Seus principais integrantes detinham o poder ou podiam tomá-lo. Francisco de Paula Freire de Andrade era o comandante da Tropa Paga — segundo se dizia, a segunda pessoa em importância dentro da capitania; Alvarenga, o padre Carlos de Toledo, o padre Rolim, e outros, eram gente que levantava gente; Gonzaga, melhor que ninguém, faria leis; dinheiro e pólvora havia bastante — pelo menos para dois anos de assédio, segundo Alvarenga; e o povo estava industriado por Tiradentes. Melhores condições objetivas para uma revolução dificilmente se encontram. No entanto, esse grupo fracassou. Ruiu como rui castelo de areia, embora fosse este construído com armas, dinheiro, gente e propósitos definidos.

Esta é uma das questões preliminares que *Tiradentes* propõe: pretende-se do fato sucedido extrair um esquema analógico aplicável a situações semelhantes. Poder-se-ia, ao contrário, pretender a análise exaustiva dos fatos históricos — escrever obra científica e verdadeira, tomando-se "verdadeira" no sentido em que ficção e realidade se confundem.

Tiradentes trilha o meio caminho: só modifica os fatos conhecidos na medida em que mantê-los significaria perda de analogia. Muitas de suas cenas foram escritas com base em documentos da época; porém, desses documentos extraiu-se uma fábula que se pretende autônoma. Desta vez, não resistimos à tentação de sermos aristotélicos, preferindo "prováveis impossibilidades a improváveis possibilidades". Essa preferência permitiu-nos colocar dentro da mesma obra textos inteiros dos *Autos da Inconfidência* (especialmente depoimentos de Tiradentes, Gonzaga, padre Carlos, Francisco de Paula e outros) lado a lado com cenas absolutamente fantásticas, como a falsa cena dos Embuçados na casa de Alvarenga Peixoto (antiga tradição mineira) e com, ainda, digamos assim, alguns modernismos jornalísticos. Considere-se que a avaliação da "probabilidade" não foi feita sobre intempestividades psicológicas, mas sim sobre a totalidade personagens-ideia-enredo-Sistema Coringa.

O microcosmo teatral e o macrocosmo social se constituem na segunda questão preliminar que devemos expor. Cada obra de teatro supõe e pressupõe o mundo, sem nunca poder mostrá-lo em sua totalidade, que se infere presente. Se a dor de cotovelo de uma criatura de Nelson Rodrigues e a guerra do Vietnã interdependem, há, não obstante, que eleger o centro de concentração da ação dramática, pois estas antípodas interdependem de tudo o mais, inclusive de Lyndon e Feydeau, não tão antípodas: e o mundo não cabe em duas horas.

Em *Tiradentes*, foi necessário escolher. A Inconfidência Mineira desenvolveu-se em três planos principais: povo, relações internacionais e conversas palacianas.

Sempre nos fascinou a ideia de mostrar essa revolução gorada segundo a perspectiva do povo de então, e os efeitos de cada lance inconfidente no seio desse povo. A vida do garimpeiro, do mineiro, do pequeno negociante, da costureira, do carrasco, do soldado, interessam-nos mais do que as liras de Gonzaga e Cláudio. Porém, o tema de *Tiradentes* é pouco uma revolução popular, nem poderia sê-lo. Para mostrar o povo, melhor faríamos contando o Conselheiro, os Alfaiates, e outros.

Também sempre nos interessaram as relações políticas e econômicas entre Inglaterra, Portugal, Espanha, França e Estados Unidos no século XVIII. Por que razão mandou a França cem mil soldados e trinta navios ajudarem os alemães contratados e os americanos-ingleses contratantes a fazerem a independência no Norte? E por que para cá não mandou nem um professor de literatura francesa? Por que Jefferson, que tanto amava a liberdade, reduzia o exercício desse amor às fronteiras do seu país? Por que foram deixados sós dez homens degradados e um na forca baloiçante?

Todos esses assuntos merecem várias trilogias, porém, para a análise do comportamento desses países, melhor seria escolher como tema outra independência que não a nossa, já que tão sós fomos deixados.

Escolhemos o palácio e isso nos forçou a exclusão quantitativa do povo e dos estrangeiros. Nosso tema nos parece, assim, melhor servido.

Explicamos: hoje é comum o exercício do poder em nome do povo. Em todas as constituições dos países ditos democráticos (e quase todos se dizem) consta que do povo o poder emana e que em seu nome será exercido. Em nenhuma, que nos conste, consta frase como esta, que imaginamos a título de exemplo: "Todo o poder emana de uma camarilha que o assumiu, e será exercido em nome do foro íntimo de cada um". Ainda que isso possa às vezes ser prática, nunca é letra escrita. Sendo o mundo como está, esta e outras inconfidências menos remotas ou em curso, vitoriosas ou derrotadas, tendem a interpretar o povo sem ouvi-lo, traduzindo em sua própria linguagem de elite palavras que em nenhuma parte foram pronunciadas. Ao povo, depois, informam sua tradução.

Assim, Gonzaga, Alvarenga, Francisco de Paula, Silvério e os outros são, em nossa versão, intérpretes do povo não perguntado. Sua estratégia e suas metas são fabricadas sem consulta prévia. A Inconfidência se move em casas particulares, poucas, e nos gabinetes oficiais. É inconfidência palaciana. E, sendo palaciana, a peça é escrita dentro dos cômodos do palácio e poucas casas, e não na rua e nas minas.

Referências aos outros dois níveis são feitas, a fim de que tenham os espectadores os instrumentos necessários para enquadrar a ação em coordenadas mais amplas. Porém, essas referências são apenas flashes curtos e espaçados. Lê-se em cena a carta de José Joaquim da Maya a Thomas Jefferson, e sua resposta extraída da correspondência com John Jay e com o próprio Maya. Vê-se o povo na taberna, depois da proibição da mineração de diamantes, que passaria a ser feita exclusivamente pela coroa; vê-se o povo na festa e feira do enforcamento exemplar; vêem-se as minas e conta-se a história de Manuel Pinheiro, caçado e preso pelo próprio Tiradentes, a mando do governador Luís da Cunha Menezes; vê-se Tiradentes conversando com as Pilatas. E mais não se vê nem se mostra: espera-se que se suponha.

Outra questão preliminar que se deve discutir refere-se à causalidade da ação dos personagens. Estamos há muito habituados à técnica de *playwriting* americana: nela, todos os atos têm suas razões perfeitamente discerníveis e cuidadosamente comunicadas pelo dramaturgo. O cinema a isso nos habituou. Quando Blanche DuBois entra em cena e, durante seus primeiros diálogos, a plateia fica indagando as causas do seu comportamento estranho. Descobre-se depois sua ninfomania, mas imediatamente vem o perdão e a causa: seu marido era homossexual, e ela, muito jovem quando se casou, a ponto de não saber descobri-lo. O choque foi tão violento que a pobre senhora só se pôde re-

O Sistema Coringa — *Tiradentes*: questões preliminares

fazer aderindo à ninfomania. Nesse tipo de explicação cria-se uma mecânica relação de causa e efeito, e a plateia fatalmente extrapola uma relação mais geral e eterna: todas as senhoras que venham a descobrir seus maridos em ternos colóquios reprováveis estarão condenadas a ouvir a *Varsoviana* todas as vezes que se aproximarem, com fins lucrativos, de jovens imberbes.

Outro exemplo também terrivelmente redutor é a explicação fornecida por Miller sobre o ódio entre pai e filho em *A morte de um caixeiro viajante*: o pobre Biff, certa vez, surpreendeu o pai, num hotel de Boston, em companhia de uma loura extranumerária; daí começou sua vida a ser um inferno; e isso foi acontecer logo com ele, pobre menino que prometia tanto...

Se quiséssemos explicar as ações de Tiradentes de forma facilmente inteligível, recursos como esses não faltariam, como não faltaram aos historiógrafos. Conta-se, por exemplo (e disso citam-se como prova os próprios Autos da Inconfidência e o quarto interrogatório a que foi submetido o Alferes), que Tiradentes julgava-se preterido em várias nomeações, já que outros militares tinham, segundo suas palavras, "caras mais bonitas ou melhores comadres". O violento e constante desejo de liberdade do herói estaria assim diretamente relacionado com a falta de promoção nas fileiras da Tropa Paga. Ou, se essa informação causal não bastasse, ainda se poderia acrescentar outro fato que parece ter sido verdadeiro: Tiradentes, perdido de amor pela sobrinha do padre Carlos, pediu a este que intercedesse junto ao pai da moça para que lhe desse sua mão. O bondoso sacerdote fez o que pôde, porém a menina já estava destinada pelo pai a quem tinha melhor cara ou melhores comadres que o Mártir da Independência. Desiludido no amor e no serviço militar, nada mais restaria ao nosso protagonista do que converter-se em herói nacional.

Soluções desse tipo não devem parecer incríveis já que foram usadas até mesmo por Castro Alves. No drama *Gonzaga, ou a Inconfidência Mineira*, o vate investiga os acontecimentos de Ouro Preto sob o prisma do triângulo amoroso Gonzaga-Marília-Barbacena. O Visconde, indignado pela recusa do seu amor, resolve pôr tudo em pratos limpos, impiedosamente castigando os que tramaram contra a Coroa e contra o seu terno coração.

Porém, se recusamos explicações causais simples e simplórias, restam dois caminhos a seguir: aprofundar a pesquisa psicológica do personagem ou esquematizá-lo em função do enredo e da ação dramática, considerada como fábula.

O primeiro caminho é mais próprio da peça que pretende reconquistar um tempo da história; o segundo é mais próprio da fábula e da verdade de agora. Este foi escolhido.

Esta decisão leva à consequência inevitável de ser necessário, muitas vezes, limitar o personagem ao seu aspecto mais útil ao desenvolvimento da trama e da ideia, eliminando-se características que, embora integrem o ser humano tratado, são dispensáveis à ideia e à trama. Um exemplo talvez concretize: certamente os intelectuais da Inconfidência não eram gente que apenas se mostrava disposta a fabricar dísticos para a bandeira, balançando-se comodamente em redes e discutindo o clima da cidade de Salvador. Porém, o que nos interessava mostrar, na principal cena em que participam, era justamente a característica de se preocuparem com detalhes de importância secundária, quando decisões primárias deviam ser tomadas; a tendência a esperar o acontecimento dos fatos para então sabiamente interpretá-los, ao invés de se anteciparem criando os fatos ou modificando-os. Enquanto Barbacena põe seus soldados na rua, os poetas da Arcádia celebram o aniversário da filha de Alvarenga, a "Princesinha do Brasil". É claro que nem todos os dias celebravam aniversários ou discutiam Sá de Miranda e o clima tropical; nem todos os dias Barbacena punha os soldados na rua; porém, se os autores pretendem agredir a atitude contemplativa, não poderão contemplativamente conceder que foram esses mesmos intelectuais que lançaram as bases teóricas da sedição. Isso importa ao juízo definitivo daqueles personagens históricos já falecidos, porém em nada contribui para que nos questionemos, todos nós, que estamos vivos, diante de situações semelhantes: não estaremos todos batizando nossas filhas enquanto Barbacenas e outros Viscondes põem seus soldados na rua?

Questões preliminares desse tipo devem ser discutidas a fim de que se evitem certos problemas que inevitavelmente surgem. É frequente no comentarismo teatral de hoje, dentro e fora do jornalismo, rotularem-se peças, espetáculos e personagens. Isso é feito com o fito de li-

O Sistema Coringa — *Tiradentes*: questões preliminares

vrar-se cada um da necessidade de entender, já que o processo de entendimento é penoso e, entre outras coisas, obriga a uma tomada de posição não apenas frente à obra (problema que o rótulo soluciona), como também frente ao tema tratado.

Esta peça é fácil de rotular, especialmente seus personagens; nela, sem maiores dores de cabeça, pode-se afirmar que Tiradentes é um quase santo, Silvério o demônio, Cláudio pusilânime, Alvarenga a perfeição do canalha, pois chega ao extremo de denunciar sua própria mulher.

Grande e compreensível é o desejo generalizado de que cada cena revele sempre facetas inesperadas dos personagens conhecidos. Um dia chegar-se-á ao extremo de lamentar que um texto sobre o descobrimento do Brasil peque pela falta de originalidade e então se dirá: "Ainda uma vez, nesta peça, o descobridor do Brasil é Pedro Álvares Cabral e o remetente da carta, Caminha" — falta imperdoável. Também em *Tiradentes*, o primeiro delator será Silvério, e disso já sabem todos.

Estes dois problemas se unem: de um lado o gosto pela novidade, de outro o gosto pela complexidade. Recusa-se com extrema facilidade e sem remorsos qualquer personagem de fácil compreensão, sob o pretexto de que o romantismo é uma escola passada, e só a ele se permitia mostrar inteiramente bons os personagens bons e inteiramente maus os personagens maus. Muito mais agrada o santo que se revela crápula ou o canalha que se heroiciza.

Concordamos que o romantismo assim muitas vezes procedia, porém parece-nos igualmente romantismo disfarçado preferir motivações contrárias e opostas à caracterização mais obviamente revelada. Tiradentes poderia ter secretos planos de fortuna individual se sobreviesse a Inconfidência: preferimos mostrá-lo como um homem que deseja a liberdade, não para si mesmo, mas para o povo; preferimos aceitar a visão que dele se tem tradicionalmente, ainda que seja esta talvez mistificada.

Concluindo: nenhum personagem dessa peça pode ser analisado isoladamente — nenhum tem vida fora do teatro. Todos devem ser entendidos dentro do esquema geral que é a peça, isto é, nas suas múltiplas relações de interdependência. Entenda-se que todos os personagens são contados pelo Coringa e, neste estilo, atribui-se ao Coringa o direito de contar como bem lhe parecer, a fim de demonstrar sua tese. A última questão preliminar refere-se ao uso da emoção ou ao uso dos mecanismos e técnicas que conduzem à emoção. Cremos, como Brecht, que há dois tipos distintos de emoção. O primeiro tipo assalta o espectador que sente a inevitabilidade do destino humano, a perplexidade da vida: é a emoção que surge diante do desconhecido — e esta é própria do teatro burguês. Choramos diante da protagonista de *Viajantes para o mar*, de Synge, porque a pobre mãe de pescadores perde seus filhos no mar, um a um. O outro tipo de emoção sobrevém exatamente em virtude do conhecimento adquirido: choramos com *Mãe Coragem* não porque seus filhos morrem, mas porque entendemos a estrutura comercial à qual ela se alienou. No caso da peça de Synge, a emoção sobrevém pela inevitabilidade da morte; no caso da *Mãe Coragem*, porque compreendemos (ao contrário da protagonista) a evitabilidade dessas mortes.

Em *Tiradentes*, usou-se um outro mecanismo mais aparentado ao segundo: uma vez compreendidas as estruturas (ou supostamente compreendidas), o próprio Coringa, que até o penúltimo episódio distancia-se racionalmente da trama, passa, no último, a dela participar, nela se integrando, como se subitamente não mais interessassem peça, personagens, ideia central, nada, a não ser acompanhar o "herói" no seu martírio. Em outras palavras: a morte de Tiradentes era evitável; porém não foi evitada. A Inconfidência tinha todos os meios concretos para libertar o Brasil e proclamar a República, porém a liberdade não veio e a República não se proclamou. Portanto, depois de mostrar todas as "evitabilidades" e "possibilidades de êxito", o espetáculo se comove com o "inevitado" e o fracasso, sem que neste momento, simultaneamente, mantenha qualquer distância crítica, que só será recuperada no epílogo.

Esta é a questão: a emoção foi usada de todas as formas que se julgaram possíveis, sempre criticamente, ainda que em alguns casos estivesse o nível crítico defasado. No último episódio, ideia e emoção se desconjugam em lances isolados, ainda que estejam conjugadas, uma vez considerada a totalidade da obra. Estas são algumas das questões preliminares propostas por *Arena conta Tiradentes*. Outras surgirão na sua montagem.

O Sistema Coringa — *Tiradentes*: questões preliminares

VI. Quixotes e heróis

Este é o sistema do Coringa, e estas são suas metas e estruturas. E este é o herói: Tiradentes. E este o perigo: foi herói.

Hoje em dia os heróis não são bem-vistos. Deles, falam mal todas as novas correntes teatrais, desde o neorrealismo neorromântico da dramaturgia recente americana, que se compraz na dissecação do fracasso e da impotência, até o novo brechtianismo sem Brecht.

No caso americano, é pacífico o entendimento dos objetivos ideológicos-propagandísticos da exibição de fracasso: é sempre bom mostrar que no mundo há gente em pior situação do que a nossa — isso tranquiliza as plateias mais cordatas que, facilmente, agradecem a Deus a disponibilidade financeira que lhes permitiu comprar um ingresso de teatro (ao contrário dos personagens que não o poderiam fazer), ou agradecem sua pequena felicidade caseira (ao contrário dos personagens atormentados por taras, esquizofrenias, neuroses e outras enfermidades do trivial psicanalítico). O herói, seja qual for, traz sempre em si o movimento e o não, e o teatro americano deve sempre dizer que sim — sua missão principal é sedativa e tranquilizante.

No caso do neobrechtianismo, o problema se complica. Cabe perguntar: foi Brecht quem eliminou os heróis, ou foram as interpretações de alguns exegetas mais afoitos? O estudo de alguns casos concretos talvez ajude a discussão.

Num de seus poemas, Brecht conta histórias de heróis, entre eles, São Martinho, o caridoso. Conta-se que uma noite, caminhando pelas ruas geladas de rigoroso inverno, encontrou um pobre morrendo de frio e, heroicamente, não hesitou: rasgou seu capotão em dois e deu metade ao pobre — os dois morreram gelados juntos. Perguntamos: São Martinho foi herói ou, digamos moderadamente, em atenção à sua santidade, teve um gesto "impensado"? Nenhum critério de heroicidade recomenda a irreflexão. O heroísmo de São Martinho não é desmistificado por uma simples e bastante razão: não é heroísmo.

Noutro poema, também sobre heróis, Brecht enfatiza o fato de que quando um general vence uma batalha, ao seu lado combatem milhares de soldados; quando Júlio César atravessa o Rubicão, leva consigo um cozinheiro. Evidentemente não depõe contra o herói não saber cozinhar, nem contra o general lutar acompanhado. Brecht amplia o número de heróis, sem destruir nenhum.

Porém, afirma-se que Brecht deseroiciza. Cita-se, como exemplo, Galileu diante do Tribunal da Inquisição, "covardemente" negando o movimento da Terra. Diziam os exegetas que se Galileu fosse herói, heroicamente teria continuado afirmando que a Terra se move e, mais heroicamente ainda, suportaria as chamas. Eu prefiro pensar que para ser herói não é absolutamente indispensável ser burro — ouso até imaginar que uma certa dose de inteligência é condição básica. Atribuir heroicidade a um ato de estupidez é mistificação. O heroísmo de Galileu foi a mentira, como dizer a verdade teria sido tolice.

Brecht não fustiga o heroísmo "em si", pois tal não existe, mas apenas certos conceitos de heroísmo, e cada classe tem o seu. É ainda num poema que afirma que o homem deve "saber dizer a verdade e mentir, esconder-se e expor-se, matar e morrer". Soa bem distante do herói de Kipling, do "serás um homem, meu filho". Soa bem próximo às táticas guerrilheiras do maoísmo: "Só se deve atacar o inimigo de frente quando se é proporcionalmente dez vezes mais forte do que ele". Ouvindo Mao, certamente Orlando ficaria bem mais furioso do que costumeiramente ouvindo o tio. O heroísmo de Amadises e Cides era determinado por estruturas de vassalagem e suserania, e quem pretender reeditá-lo fora dessas estruturas deverá necessariamente pelejar contra moinhos de vento e pipas de vinho diante dos olhares curiosos de prostitutas, outrora castelãs. Tal foi a sorte de Dom Quixote e tal sempre será. Sempre os heróis de uma classe serão os Quixotes da classe que a sucede.

O inimigo do povo, dr. Stockmann, é um herói burguês. Em que consiste seu heroísmo? Se necessário, ele é capaz de optar por fazer desaparecer sua cidade, pois considera honrada apenas a atitude de denunciar a poluição das águas das termas, única ou principal fonte de renda do município. No texto de Ibsen revela-se a contradição entre a necessidade de crescimento burguês da cidade e os valores morais que os cidadãos apregoam possuir. Stockmann fica com os valores e comete o erro da pureza — aí reside seu tipo especial de heroísmo. Podemos condená-lo por sabermos que a solução verdadeira (desde que se considere a verdade de outra classe que não a burguesa) não é a que

Stockmann propõe, e nem sequer está contida nos termos do problema que a peça expõe. Porém, se o condenamos, não condenaremos o seu heroísmo, apenas, e sim a burguesia e todas suas estruturas, inclusive morais.

O heroísmo de Stockmann é determinado e avaliado pelas estruturas burguesas que o patrocinam e informam. Cada classe, casta ou estamento tem seu herói próprio e intransferível. Portanto, o herói de uma classe só poderá ser entendido pelos critérios e valores dessa classe. Ou poderão as classes dominadas entender os heróis das classes dominantes, enquanto permanecer a dominação, inclusive moral. Heroicamente, o Cid Campeador arriscou sua vida em defesa de Alfonso VI, e heroicamente suportou a humilhação como recompensa. Hoje, e ainda heroicamente, o Campeador teria processado seu senhor na Justiça do Trabalho, e organizado piquetes na porta da fábrica, enfrentando gás lacrimogêneo e cassetete. Não foi tolo o Cid-Vassalo por ter feito o que fez, nem o seria o Cid-Proletário por fazer o que faria. Foi e seria herói.

Lidando com heróis, pode a literatura indiferentemente apresentá-los como seres humanos reais ou mitificá-los. A forma de usá-los deve depender tão somente dos fins a que cada obra se propõe. Júlio César sofria várias doenças: isso pode ser revelado no personagem, como pode-se também, ao mito, fazê-lo gozar esplêndida saúde.

O mito é o homem simplificado — contra isso nada se tem a objetar. Porém a mitificação do homem não tem necessariamente que ser mistificadora — pois contra isso muito se pode e deve objetar. Em nada nos aborrece o mito de Spartacus, embora saibamos que talvez não tenha sido tão enorme sua valentia. Nada nos aborrece em Caio Graco e sua reforma agrária. Porém o mito de Tiradentes nos perturba. Por quê?

O processo mitificador consiste em magnificar a essência do fato acontecido e do comportamento do homem mitificado. O mito de Caio Graco é muito mais revolucionário do que deve ter sido o homem Caio Graco, porém é verdade que o homem distribuiu terras aos camponeses e foi por isso morto pelos senhores da terra. A diferença entre o homem e o mito é, aqui, apenas de quantidade, pois a essência do comportamento e dos fatos é a mesma: magnificam-se os dados essenciais e eliminam-se os circunstanciais. Seus cozinheiros, seus vinhos e seus amores, por exemplo, não integram o mito, embora possam ter integrado o homem. Para a instituição do mito Caio Graco, é irrelevante saber se o romano tinha amantes ou se gostava delas, como para a instituição do mito Tiradentes é igualmente irrelevante acrescentar-lhe sua filha ilegítima e sua concubina, embora para Joaquim José pudessem ser as duas relevantíssimas — do que em nenhum momento duvidamos.

Se a mitificação de Tiradentes tivesse consistido exclusivamente na eliminação de fatos inessenciais, nenhum mal haveria. Porém as classes dominantes têm por hábito a "adaptação" dos heróis das outras classes. A mitificação, nesses casos, é sempre mistificadora. E sempre é o mesmo processo: eliminar ou esbater, como se fosse apenas circunstância, o fato essencial, promovendo, por outro lado, características circunstanciais à condição de essência. Assim foi com Tiradentes. Nele, a importância maior dos atos que praticou reside no seu conteúdo revolucionário. Episodicamente, foi ele também um estoico. Tiradentes foi revolucionário no seu momento como o seria em outros momentos, inclusive no nosso. Pretendia, ainda que romanticamente, a derrubada de um regime de opressão e desejava substituí-lo por outro, mais capaz de promover a felicidade do seu povo. Isto ele pretendeu em nosso país, como certamente teria pretendido em qualquer outro. No entanto, esse comportamento essencial ao herói é esbatido e, em seu lugar, prioritariamente, surge o sofrimento na forca, a aceitação da culpa, a singeleza com que beijava o crucifixo na caminhada pelas ruas com baraço e pregação. Hoje, costuma-se pensar em Tiradentes como o Mártir da Independência, e esquece-se de pensá-lo como herói revolucionário, transformador da sua realidade. O mito está mistificado. Não é o mito que deve ser destruído, é a mistificação. Não é o herói que deve ser apequenado; é a sua luta que deve ser magnificada.

Brecht cantou: "Feliz o povo que não tem heróis". Concordo. Porém nós não somos um povo feliz. Por isso precisamos de heróis. Precisamos de Tiradentes.

São Paulo, janeiro de 1967

Um teatro subjuntivo

Julián Boal

> "A dor deste ser me transtorna
> Pois, contudo, poderia haver para ele uma saída."
>
> Bertolt Brecht

> "Vários outros mundos são possíveis."
>
> Augusto Boal

Talvez seja necessário lembrar aqui que o Teatro do Oprimido nunca foi produto de um artista isolado em sua torre de marfim. O Teatro do Oprimido, "um método de trabalho, uma filosofia de vida, um conjunto de técnicas",[1] foi sempre fruto das lutas e dos ensinamentos delas tirados por Augusto Boal, meu pai.

A primeira dessas lutas é a mais conhecida: a luta contra a ditadura no Brasil. Esta foi travada por Augusto Boal com determinação, talvez com uma lucidez e certa ironia que outros não possuíam na época. Assim, durante uma reunião clandestina de um grupo de guerrilha, quando um dos líderes mostrou no mapa do Brasil os deslocamentos que os militantes deveriam fazer pela floresta, meu pai o interrompeu para perguntar: "Você tem certeza de que neste rio que devemos atravessar todos os crocodilos são adeptos da causa revolucionária?". Não obstante, ele lutou e pagou, como outros, um preço muito caro: sequestro, tortura, prisão, exílio, desaparecimento de amigos próximos.

Essa luta foi travada também com a ferramenta que lhe era mais familiar: o teatro. Com seus companheiros do Teatro de Arena, decidiu deixar as salas de teatro para ir ao encontro do público que não ia até eles. Encenaram seus espetáculos nas escolas e igrejas dos bairros

---

[1] Augusto Boal, *Jeux pour acteurs et non-acteurs*, Paris, La Découverte, 2004, p. 11 [ed. bras.: *Jogos para atores e não atores*, São Paulo, Cosac Naify, 2008].

populares, na frente de usinas e dentro de sindicatos, em toda parte onde achavam que poderiam encontrar aquelas pessoas que, sendo o tema de seus espetáculos, eles tinham a impressão de nunca terem visto em seu teatro: o Povo Brasileiro. Se apresentaram também no campo. A anedota é famosa. No fim de uma apresentação sobre a reforma agrária em um vilarejo do Nordeste brasileiro, um camponês veio ver a trupe, para parabenizá-los. "É exatamente o que estamos vivendo! E nós também achamos, como vocês, que devemos 'derramar nosso sangue para libertar nossa terra', como vocês dizem na música", falou essencialmente o camponês Virgílio. A trupe ficou toda orgulhosa, mas Virgílio continuou falando. Pediu a eles, já que estavam todos de acordo sobre a necessidade de luta armada, que fossem junto com os camponeses expulsar a tiros um grande proprietário rural. Diante da recusa da trupe, Virgílio chegou à conclusão lógica de que quando os atores cantavam "Derramemos nosso sangue para libertar nossa terra", falavam apenas do sangue dos camponeses, e de forma alguma do seu.

Esse encontro, que Augusto Boal descreve com frequência como um momento crítico da sua vida, foi o ponto de partida de outra luta, subterrânea no Teatro do Oprimido de forma geral: uma luta contra o teatro.

Lutar contra o teatro, vale lembrar, é o único elemento de união entre todos os que já quiseram mudá-lo. De Piscator a Grotowski, todos os inovadores se opõem geralmente ao estado no qual veem o teatro para melhor firmar a necessidade que sentem de transformá-lo. Mas qual foi o ângulo escolhido por meu pai para guiar seu ataque?

Embora ele cite com frequência as críticas de Brecht contra um teatro "digestivo", "hipnotizante", que serve de "gabinete de compensação para aventuras não vividas", a crítica de Augusto Boal é, de certa forma, muito mais radical. O que é criticado principalmente no teatro é a separação entre os atores e a sala, a divisão imutável das tarefas entre os que têm permissão de falar, de agir, e os que ficam confinados ao mutismo e à escuridão: "Como vimos, a poética de Aristóteles é a Poética da Opressão: o mundo é dado como conhecido, perfeito ou a caminho da perfeição, e todos os seus valores são impostos aos espectadores. Estes passivamente delegam poderes aos personagens para que atuem e pensem em seu lugar".[2] Não basta colocar em cena peças de conteúdo crítico, progressista ou revolucionário. A própria relação que une o palco à sala deve ser revista, caso contrário, veremos falhar todas as esperanças de transformá-la em ferramenta possível para uma emancipação, pois "mesmo o teatro brechtiano pode se tornar catártico".[3] Essa crítica do teatro é inspirada, é claro, na crítica de Paulo Freire sobre a educação.[4]

Freire também é um crítico mordaz da realidade à qual é confrontado, a de uma concepção "bancária" da educação onde "o professor se apresenta a seus alunos como seu 'contrário' necessário: ao considerar que a ignorância deles é total, ele justifica sua própria existência".[5] A pedagogia proposta por Paulo Freire parte, quanto a ela, de uma hipótese de confiança: é impossível ser totalmente ignorante; devemos trabalhar para expandir constantemente o saber a partir de conhecimentos que cada um já possui; é impossível ensinar se considerarmos o outro um ser inferior. "Seria de fato aderir a um dos mitos da ideologia opressora, o da absolutização da ignorância. O homem que decreta que os outros são absolutamente ignorantes considera-se, a si e à classe a que pertence, como alguém que sabe e que nasceu para saber. Julgando-se assim, ele julga os outros como ignorantes. E viram para ele estrangeiros. A 'palavra verdadeira' é a sua, que impõe ou busca impor aos outros. E estes são sempre oprimidos, aqueles que foram privados da palavra".[6] É por isso que "a teoria da ação dia-

---

[2] Idem, *Théâtre de l'Opprimé*, Paris, La Découverte, 1996, p. 48 [neste volume, p. 170].

[3] Idem, *Jeux pour acteurs et non-acteurs*, *op. cit.*, p. 26.

[4] Paulo Freire (1921-1997) inventou um método de alfabetização não apenas funcional, mas que busca permitir que os oprimidos leiam, decifrem politicamente o mundo que os cerca para melhor transformá-lo. Devido a seu engajamento, conheceu o exílio, o que lhe permitiu desenvolver seu método em diversos países. O nome *Teatro do Oprimido* faz referência, é claro, à *Pedagogia do Oprimido* de Paulo Freire. Meu pai dizia a respeito de Freire que este foi seu último pai.

[5] Paulo Freire, *Conscientização*, 4ª ed., São Paulo, Moraes, 1980.

[6] Idem, *Pédagogie des Opprimés*, Paris, Maspero, 1974, p. 126 [ed. bras.: *Pedagogia do oprimido*, 50ª ed., São Paulo, Paz e Terra, 2011].

Posfácio

lógica não reconhece um sujeito que domina e um objeto dominado, mas apenas sujeitos que se encontram para decifrar o mundo, para transformá-lo".[7]

A crítica de Augusto Boal se baseia numa mesma recusa radical da hierarquia entre aqueles que teriam a habilidade necessária para subir ao palco e os que seriam desprovidos de tal habilidade. Porque essa hierarquia não está presente apenas no teatro, ela é, ao contrário, um dos fundamentos da nossa sociedade. Ela age na vida de forma geral, onde "encorajamos a população a ser mera espectadora dos 'seres excepcionais' e não a descobrir o que há de excepcional em cada um",[8] e sobretudo em nossas democracias parlamentares nas quais o eleitor, semelhante ao espectador, só exerce seu poder de voto para vê-lo desaparecer durante toda a duração do eleito-ator. É por isso que "nós não admitimos que o eleitor seja um mero espectador das ações do parlamentar, mesmo que estas sejam corretas".[9]

Em suma, pode-se dizer que o Teatro do Oprimido segue a linha proposta por Lênin em *O Estado e a revolução*: conquistar o poder do Estado é sem dúvida um objetivo importante, mas apenas se essa tomada do poder for imediatamente articulada a uma transformação radical deste último.

Os oprimidos têm de produzir seu próprio teatro, pois "em cena, o ator é um intérprete que, ao traduzir, trai. É-lhe impossível agir de outra forma".[10] Os atores, especialistas da expressão, não podem e jamais poderão se dizer capazes de se tornarem vetores invisíveis e neutros das vozes alheias. Ser o porta-voz do outro é ainda furtar-lhe a voz. Temos de pôr fim ao monopólio do palco, como temos de pôr fim a todos os monopólios, o do discurso erudito como o do discurso po-

---

[7] Idem, ibidem, p. 161.

[8] Augusto Boal, "Le Théâtre de l'Opprimé: outil d'émancipation", em *Théâtre et développement*, Bruxelas, Colophon Éditions, 2004, p. 45.

[9] Idem, *Teatro Legislativo*, Rio de Janeiro, Civilização Brasileira, 1996, p. 46.

[10] Idem, *L'Arc en ciel du désir: du théâtre expérimental à la thérapie*, Paris, La Découverte, 2002, p. 12 [ed. bras.: *O arco-íris do desejo: método Boal de teatro e terapia*, Rio de Janeiro, Civilização Brasileira, 1996].

lítico. Todas as vozes são legítimas e "todos podem fazer teatro, até mesmo os atores".

Ao fazer teatro, os oprimidos retomam intelectual e fisicamente a possibilidade que lhes é negada de produzir suas próprias representações. Podem escapar, ao menos em parte, da identidade imposta pelo outro, o opressor. Essa retomada é também, necessariamente, uma busca, uma investigação. A construção de uma representação própria tem de passar pela provocação de uma crise das representações dominantes. Eles terão de lutar contra a "invasão dos cérebros" descrita por Augusto Boal em seu último livro, *A estética do oprimido*. Essa preocupação em não mais delegar aos especialistas, em fazer vir à tona um saber posto à margem, é a mesma de Foucault quando este promove as investigações-intolerâncias dentro do Grupo de Informação sobre as Prisões, do qual é um dos fundadores. As investigações serão redigidas pelos prisioneiros: "Essas investigações não são feitas de fora, por um grupo de técnicos: os investigadores, aqui, são os próprios investigados. Cabe a eles falar, derrubar o muro de separação, formular aquilo que é intolerável, e não mais tolerá-lo. Cabe a eles assumir a liderança da luta que impedirá a opressão de se exercer".[11]

Essa possibilidade dada a todos de fazer teatro só é realizável porque nós todos já fazemos teatro, ou ao menos certa forma dele, aquela que meu pai chamava de teatro essencial: "O que é, então, o teatro? No sentido mais arcaico do termo, o teatro é a capacidade que têm os seres humanos — e não os animais! — de observar a si mesmos em ação. Os humanos são capazes de se ver no ato da visão, capazes de pensar suas emoções, de se emocionar com seus pensamentos. Podem ver-se aqui e imaginar-se lá; ver-se como são hoje e imaginar como serão amanhã [...] Todos os seres humanos são atores (eles agem!) e espectadores (eles observam!). Somos todos espect-atores".[12] Essa não adesão de si a si mesmo dá nome, por vezes, a uma capacidade outra que não a de fazer teatro: a capacidade de pensar. Essa dicotomia interna entre ator e espectador nos convida a imaginar outras,

---

[11] Michel Foucault, *Dits et écrits*, Paris, Gallimard, 2001, p. 364.

[12] Augusto Boal, *Jeux pour acteurs et non-acteurs*, *op. cit.*, pp. 16-21.

Posfácio

nos convida a imaginar uma brecha entre o que fazemos e o que somos, ou podemos nos tornar, uma brecha entre as pessoas e os papéis que elas representam, as funções que executam, os papéis que preenchem. Dizer que cada um de nós é teatro equivale a dizer que todos podemos escapar de nós mesmos e dos lugares que devemos supostamente ocupar.

É, portanto, coerente que o teatro enquanto prática da representação imaginada por Augusto Boal seja solidário com esse teatro enquanto capacidade verdadeiramente humana de ver a si mesmo em ação, no qual ele apostava. As formas teatrais não devem apresentar uma imagem restrita do mundo, porque este é um processo sempre aberto: "O que deve ser interrompido no teatro, que é uma fixação de uma imagem da sociedade, é essa tendência ao imobilismo, o 'é assim que as coisas são'. No Teatro do Oprimido, deve-se mostrar que as coisas não são, mas estão sendo. Nada é, tudo está sendo. E para isso deve-se criar muitas dúvidas, incertezas, porque estas são alternativas potenciais".[13] As formas inventadas por Augusto Boal são as de um teatro inteiramente voltado para uma exploração minuciosa da realidade a fim de extrair dali todas as possibilidades negadas pela ordem dominante, de um teatro "subjuntivo".[14] Um teatro que não seja o da certeza exprimida pelo indicativo, mas que seja capaz de abrir campos onde possam se expressar as hipóteses, opiniões, os fatos irreais, contemplados ou imaginados. Quando meu pai declara, em diversas entrevistas e textos, que o mais deplorável no estado atual das coisas é a espoliação feita aos oprimidos da sua capacidade de criar metáforas, ele não fala enquanto artista apenas interessado em partilhar com as massas as alegrias da criação. Ele faz, ao contrário, a aposta de que só quando os oprimidos podem imaginar alternativas possíveis (imaginação que não é apenas um exercício do espírito, mas que requer ações absolutamente concretas) é que eles podem se opor a seus opressores. Se este mundo não é capaz de interpretar, então ele é também impos-

---

[13] Idem, ibidem, p. 40.

[14] Idem, ibidem, p. 10.

sível de ser transformado. Se Thatcher teve de fato razão ao inventar o acrônimo TINA, There Is No Alternative, então não há lugar neste mundo para o Teatro do Oprimido.

Há uma continuidade, que confesso ter frequentemente subestimado, no pensamento daquele que definia o Teatro Fórum como uma análise concreta da situação concreta[15] para, trinta anos mais tarde, maravilhar-se frente a uma mulher que, após uma apresentação de Teatro Fórum, chorou diante de um espelho porque pela primeira vez se via como ser humano, quando antes só podia se observar como empregada doméstica. É ainda a mesma recusa obstinada da ditadura do real como única realidade possível, é ainda o desejo de fraturar a aparência inabalável do cotidiano. É buscar no presente todas as possibilidades, deixadas em repouso pelos oprimidos ou negadas pelos opressores, para considerá-las como momentos capazes de desencadear rupturas. O Teatro do Oprimido é um teatro da esperança, que não vê no presente a eterna repetição de um tempo "homogêneo e vazio", mas um momento no qual as contradições se imbricam, cada uma delas possuindo dinâmicas que deixam entrever possíveis vitórias contra as opressões. É uma tentativa de, pelo teatro, romper com a ideia de que só há um mundo possível, para começar a estudar as possibilidades laterais. É um teatro experimental na concepção de Brecht, para quem o teatro experimental não "trata de algumas experiências formais, mas da necessidade de fazer com que se conceba, pelo teatro, a vida social em sua totalidade como uma experiência". Brecht, cujas teorias e práticas foram evidentemente uma fonte de inspiração para meu pai: "[...] o prazer para os homens consiste em deixar de aceitar sem outra forma de processo o mundo que os rodeia [...] em brincar com ele, em fazer com ele experiências, enfim: executar sobre ele transformações que pareçam favoráveis. É por essa razão que o público, diante desse espetáculo, passa a completar a interpretação, imaginando outros modos de comportamento e outras situações, antes de os opor, seguindo o

---

[15] A análise concreta da situação concreta é uma citação que meu pai pega emprestado de Lênin para definir o que é o Teatro Fórum.

Posfácio

desenrolar da ação, àqueles e àquelas que o teatro põe em destaque. Assim, o público converte a si mesmo em narrador".[16]

Talvez porque tinha o espírito de um dialético, por demais consciente dos processos que transformam constantemente o mundo, meu pai jamais elaborou uma definição globalizante do Oprimido, do Opressor ou da Opressão. Não encontramos em seus livros nenhuma descrição lapidar desses três termos, aos quais, no entanto, ele se refere o tempo todo. Nenhum retrato de corpo inteiro, mas pinturas feitas por pinceladas sucessivas ao longo de seus escritos. Com frequência, curtos trechos nos lembram que, se for absolutamente necessário nos atermos a essas palavras, elas não podem ser reduzidas a uma visão maniqueísta do mundo. Um trabalhador oprimido pela exploração capitalista pode ser também um marido opressor que bate na mulher. Os oprimidos não são os portadores de uma verdade: "A cabeça dos oprimidos já é tão inundada de pensamentos que não lhes pertencem";[17] tampouco são heróis positivos sem falhas: "Todo oprimido é um subversivo submisso".[18] Os próprios opressores se dividem entre aqueles que têm coroas sobre suas cabeças e aqueles que não têm nada a ganhar no exercício de sua opressão.[19] Dizer que existem oprimidos e opressores não é, como dizem com muita frequência, uma simplicação do mundo. É, ao contrário, problematizá-lo, ir além de uma simples moral que oporia seres bons a seres que possuem uma essência maligna. É aceitar que as identidades não são fixas, mas que estão sempre em movimento, pois "o oprimido não se define em relação a si próprio, mas em relação a seu opressor".[20] Uma única coisa continua certa: "Se a Opressão existe, é preciso acabar com ela!".[21]

---

[16] Bertolt Brecht, *Théâtre épique, théâtre dialectique*, Paris, L'Arche, 1999, p. 184.

[17] Augusto Boal, "Le Théâtre de l'Opprimé: outil d'émancipation", em *Théâtre et développement, op. cit.*

[18] Idem, *L'Arc en ciel du désir, op. cit.*, p. 49.

[19] Idem, *A estética do oprimido*, Rio de Janeiro, Garamond, 2009.

[20] Idem, *Jeux pour acteurs et non-acteurs, op. cit.*, p. 293.

[21] Idem, ibidem, p. 25.

E para acabar com ela, o teatro sozinho nunca será o bastante. Pode se tornar um instrumento poderoso para a contestação da ordem estabelecida, por ser o lugar onde os oprimidos criam suas próprias representações do mundo e, ao fazê-lo, se desfazem da identidade que lhes é atribuída: a de serem aqueles que não podem representar. Mas essa força nunca será suficiente, e o ensaio da greve importa menos que a greve em si: "O teatro não é superior à ação. É uma fase preliminar. Ele não pode substituí-la. A greve ensinará mais".[22] O ensinamento trazido por um Teatro Fórum é importante, porém não mais do que aquele trazido pela experiência real de uma luta. O teatro deve conduzir a uma ação concreta, o ator em cena deve se tornar um ativista nas ruas; é a única maneira de se criar plenamente este teatro que não se contenta mais em interpretar o mundo, mas que de fato contribui para transformá-lo.

Os livros de Augusto Boal, assim como sua experiência, se propagaram mundo afora. Existem hoje trupes em mais de quarenta países. Algumas reduziram o Teatro do Oprimido a um conjunto de técnicas; outras souberam se inspirar nos textos para fundar experiências absolutamente fascinantes. Quando era vivo, meu pai pedia que se distinguissem as traições imperdoáveis das heresias criativas. Manter a fidelidade a Augusto Boal não é querer preservar uma pureza, evitar máculas. É pensar que as propostas formuladas por ele[23] continuam globalmente válidas para nos ajudar a captar o mundo e a transformá-lo, que o ato de abandoná-las nos levaria inevitavelmente ao abandono

---

[22] Idem, *Théâtre de l'Opprimé*, *op. cit.*, p. 186 [entrevista a Émile Copfermann incluída na edição francesa de *Teatro do Oprimido*, e também em *Jogos para atores e não atores*, São Paulo, Cosac Naify, 2008, p. 348].

[23] Só citei aqui, sumariamente, algumas dessas propostas: a crítica da divisão social do direito ao discurso; a necessidade de se retomar a capacidade de representar a nós mesmos; a capacidade universal de fazer teatro, paralela à de pensar; a percepção do presente como sendo o lugar de possíveis bifurcações; a divisão dinâmica do mundo entre opressores e oprimidos; a necessidade de ultrapassar o teatro. Essas propostas merecem ser aprofundadas, outras merecem ser nomeadas. Esse não é o objetivo deste texto que só se quer uma breve introdução aos elementos que estimei mais importantes.

de toda e qualquer perspectiva de mudança concreta da nossa realidade. Que critério poderíamos estabelecer para julgar nossa fidelidade? Talvez haja uma resposta nas primeiras linhas da primeira página do primeiro livro escrito por meu pai, *Categorias de teatro popular*: "As elites consideram que o teatro não pode e nem deve ser popular. Nós pensamos, pelo contrário, que o teatro não apenas pode ser popular, mas que todo o resto deve se tornar popular: em particular o Poder e o Estado, os alimentos, as fábricas, as praias, as universidades, a vida".[24] Talvez aí se encontre o caráter essencial que nos permite saber se estamos ou não fazendo Teatro do Oprimido, para além das formas, das interpretações, dos contextos e das conjunturas: sempre buscar fazer com que a retomada por todos do palco se articule à retomada por todos do mundo.

Tradução do francês de Júlia Sobral Campos

---

[24] Augusto Boal, *Categorias de teatro popular*, Buenos Aires, Ediciones CEPE, 1972, p. 9.

Sobre o autor

Augusto Boal nasceu em 16 de março de 1931, no Rio de Janeiro. Formou-se em engenharia química pela UFRJ, mas desde a infância interessou-se pelo teatro. Em 1952 viaja para os Estados Unidos para estudar na Escola de Arte Dramática da Universidade Columbia, onde frequenta os cursos de John Gassner, professor de dramaturgos como Tennessee Williams e Arthur Miller.

De volta ao Brasil, em 1956, passa a integrar o Teatro de Arena, onde aos poucos adapta o que aprendera nos Estados Unidos em espetáculos que buscam encenar e discutir a realidade brasileira, convidando o espectador a sair da passividade. Formado por Boal, José Renato, Giafrancesco Guarnieri, Oduvaldo Vianna Filho e outros, o grupo de dramaturgos do Arena promove uma verdadeira revolução estética nos palcos brasileiros.

O golpe de 1964 torna cada vez mais difícil a situação dos artistas que haviam se engajado na transformação social do período precedente. Em 1971, Boal é preso e torturado. Exila-se na Argentina com Cecilia Thumim, onde organiza *Teatro do Oprimido*, seu livro mais conhecido. A partir de então, os princípios e as técnicas desenvolvidos por Boal alcançam um público cada vez maior, difundindo-se inicialmente pela América Latina e, ao longo dos anos 1970, pelo mundo inteiro. Muda-se para Portugal em 1976, e dois anos depois se estabelece na França, onde passa a atuar e criar vários núcleos baseados em sua obra.

Com o fim da ditadura, retorna ao Brasil em 1986, estabelecendo-se no Rio de Janeiro. Em 1992, é eleito vereador pelo Partido dos Trabalhadores e desenvolve mais uma de suas técnicas, o Teatro Legislativo, discutindo projetos de lei com o cidadão comum em ruas e praças da cidade. A Unesco confere a Augusto Boal, em 2009, o título de "Embaixador do Teatro Mundial". Falece em 2 de maio de 2009, no Rio de Janeiro. Suas obras estão traduzidas para as principais línguas do Ocidente e do Oriente.

Publicou em português os seguintes livros:

Teatro
> *Revolução na América do Sul* (São Paulo, Massao Ohno, 1960)
> *Arena conta Zumbi*, com Gianfrancesco Guarnieri (São Paulo, Teatro de Arena, 1965)
> *Arena conta Tiradentes*, com Gianfrancesco Guarnieri (São Paulo, Sagarana, 1967)

Duas peças: A tempestade/Mulheres de Atenas (Lisboa, Plátano, 1977)
Murro em ponta de faca (São Paulo, Hucitec, 1978)
O corsário do rei (Rio de Janeiro, Civilização Brasileira, 1985)
Teatro de Augusto Boal, vol. 1 (São Paulo, Hucitec, 1986)
Teatro de Augusto Boal, vol. 2 (São Paulo, Hucitec, 1990)

Teoria e método

Teatro do Oprimido e outras poéticas políticas (Rio de Janeiro, Civilização Brasileira, 1975; 1ª ed.: *Teatro del Oprimido y otras poéticas políticas*, Buenos Aires, Ediciones de la Flor, 1974)

Técnicas latino-americanas de teatro popular (São Paulo, Hucitec, 1977; 1ª ed.: *Técnicas latinoamericanas de teatro popular*, Buenos Aires, Corregidor, 1975)

200 exercícios e jogos para o ator e o não ator com vontade de dizer algo através do teatro (Rio de Janeiro, Civilização Brasileira, 1977; 1ª ed.: *200 ejercicios y juegos para el actor y para el non actor con ganas de decir algo a través del teatro*, Buenos Aires, Crisis, 1975)

Categorias de teatro popular (São Paulo, Hucitec, 1979; 1ª ed.: *Categorias de teatro popular*, Buenos Aires, Ediciones CEPE, 1972)

Stop: c'est magique (Rio de Janeiro, Civilização Brasileira, 1980)

O arco-íris do desejo: método Boal de teatro e terapia (Rio de Janeiro, Civilização Brasileira, 1996; 1ª ed.: *Méthode Boal de théâtre et de thérapie: L'arc-en-ciel du désir*, Paris, Ramsay, 1990)

Teatro Legislativo: versão beta (Rio de Janeiro, Civilização Brasileira, 1996)

Jogos para atores e não atores (Rio de Janeiro, Civilização Brasileira, 1998; 1ª ed.: *Jeux pour acteurs et non-acteurs*, Paris, Maspero, 1978)

O teatro como arte marcial (Rio de Janeiro, Garamond, 2003)

A estética do oprimido (Rio de Janeiro, Garamond, 2009; 1ª ed.: *The Aesthetics of the Oppressed*, Londres/Nova York, Routledge, 2006)

Memórias

Hamlet e o filho do padeiro (Rio de Janeiro, Record, 2000)

Ficção e crônicas

Crônicas de nuestra América (Rio de Janeiro, Codecri, 1977)

Jane Spitfire (Rio de Janeiro, Codecri, 1977)

Milagre no Brasil (Rio de Janeiro, Civilização Brasileira, 1979; 1ª ed.: Lisboa, Plátano, 1976)

O suicida com medo da morte (Rio de Janeiro, Civilização Brasileira, 1992)

Aqui ninguém é burro! (Rio de Janeiro, Revan, 1996)

Créditos das imagens

p. 2: Augusto Boal em oficina, Paris, 1983, fotografia de Jean-Gabriel Carasso, acervo do Instituto Augusto Boal;

p. 8: Augusto Boal e Cecilia Thumim em oficina, década de 1980, acervo do Instituto Augusto Boal;

p. 10: Augusto Boal e elenco durante leitura da peça *Nichts mehr nach Calingasta*, de Julio Cortázar, Graz, 1983, fotografia de Wolfgang Veit, acervo do Instituto Augusto Boal;

p. 18: Augusto Boal durante ensaio da peça *Candida Erendira*, baseada no conto de Gabriel García Márquez, Paris, 1983, fotografia de Jacques Gayard, acervo do Instituto Augusto Boal;

p. 26: Augusto Boal em oficina, Nuremberg, 1984, fotografia de Claus Felix, acervo do Instituto Augusto Boal;

p. 72: Augusto Boal ministra oficina de Teatro do Oprimido, década de 1980, acervo do Instituto Augusto Boal;

p. 100: Augusto Boal em oficina, década de 1970, acervo do Instituto Augusto Boal;

p. 126: Augusto Boal e elenco durante leitura da peça *Nichts mehr nach Calingasta*, de Julio Cortázar, Graz, Áustria, 1983, fotografia de Wolfgang Veit, acervo do Instituto Augusto Boal;

p. 172: Augusto Boal com Cecilia Thumim, Roberto Espina e Rudy Chernicoff, atores da peça *El mejor alcalde, el rey*, de Lope de Vega, Buenos Aires, 1966, acervo do Instituto Augusto Boal;

p. 216: Augusto Boal em oficina, década de 1980, acervo do Instituto Augusto Boal;

capa: Augusto Boal ministra oficina de Teatro do Oprimido, Londres, 1979, fotografia de Peter Kunold, acervo do Instituto Augusto Boal.

ESTE LIVRO FOI COMPOSTO EM SABON
PELA BRACHER & MALTA, COM CTP
E IMPRESSÃO DA EDIÇÕES LOYOLA EM
PAPEL PÓLEN SOFT 80 G/M² DA CIA.
SUZANO DE PAPEL E CELULOSE PARA
A EDITORA 34, EM JULHO DE 2021.